野村喜和夫
対談集

ディアロゴスの12の楕円

12 Ellipses Dialogique

詩人の遠征
▼
extra trek
01

洪水企画

目次

iii 詩歌道行 *105*

（ダウラギリ・サーキット・トレッキングのように……）

ダウラギリ・サーキット・トレッキングのように、
排泄の不安と、
凍てつく無底の夜と、
日焼けした笑いの二十日間と、

霧めく起点で学び得たことは
踏みそこね、
踏み外し、

森にみえかくれする妖精のようなパスワードと、
稜線で震える誰彼の傷痕と、
不眠の蟋蟀の独り言と、

「このあたりで生殖とかしたね」、

めまいとは
私たちの足元の穴を覗くと奔流があらわれた、その奔流に
レモンを添えたり、
首を晒したり、
ちがうちがう、めまいとは
私たち自身がすでに奔流なのだ、

つづけよう、残された行程は
草の忘我からの
とぎれとぎれの跳躍と、
炎症性の
人称の交換と、
夜明けのミルクに浸されたパンと、
ひたむきな高所への執着と、
直立の虹と、
何度でもいうよ、
ダウラギリ・サーキット・トレッキングのように、
ダウラギリ・サーキット・トレッキングのように。

DIALOGOS

i　野村喜和夫の詩と詩論をめぐって

VS 小林康夫

閾を超えていく彷徨

詩と哲学のあいだ

2017.1.26

兄弟間に横たわる時代の終焉

野村　小林さんはこれまで表象文化論という形で、芸術行為、芸術作品の哲学的な基礎づけをされてきましたが、そのなかで詩についても時々論じられています。ぼくが印象に残っているのは、パウル・ツェランをリルケと比較して論じた詩的大地論であり、また近著の『オペラ戦後文化論』(未來社)でも、何人かの戦後詩の主要な詩人がとりあげられていました。とりわけ吉本隆明の『固有時との対話』の読み解きを核に、坂口安吾から始まり、暗黒舞踏とかを含めた広い戦後文化のなかに現代詩が位置づけられ論じられています。それはこれまでの詩壇内的な批評ではあまり見られなかったことですが、そういう小林さんの目に、ぼくの詩がどう映るのかを聞いてみたいです。

また、こんど刊行する評論集『哲学の骨、詩の肉』は哲学と詩の関係について、まあ微力ながら、ぼくなりにまとめたもので、小林さんからも多く示唆をいただいているので、それについてコメントをいただけたらと思います。

小林　ゲラに目を通しました。「哲学と詩の本」となっているけど、野村喜和夫という詩人がどのように自分の道を歩いてきたのか、一種のドキュメントにもなっていますよね。そこに出てくる固有名詞の数々を見ながら、ぼく自身の歩いてきた道と重なって二重になっているような幻覚を感じました。野村さんは一九五一年生まれ、ぼくは五〇年の早生まれ、ぼくが大学に入ったのは一九六八年で、学年でいうと二年違うわけです。ほぼ同時代だけど感覚的には微妙なずれがあって、野村さんの文章を読んで何となく感じるわずかな距離を考えると、この二年の差が結構大きいかなと思います。野村さんとぼくは言ってみれば兄弟みたいな関係で、このわずか二年の間にひとつの時代の終わりが横たわっている気がする。ぼくが六八年という戦後の激しい時代の、その最後を知っている世代だとすると、野村さんは何もなくなってしまったところからスタートした。この差があると感じましたね。

野村　『オペラ戦後文化論』のとくに最後の章で、いまおっしゃった違いをつよく感じました。六〇年代の最後の数年間の、政治も含めた日本の文化的な出来事を小林さんはリアルタイムで見て、その渦のなかに身をおいている。ぼくにはない経験なので、うらやましいというのが偽らざる気持ちです。たしかに七〇年に大学に入ったときには何もなかった。ぼくもしばらく途方に暮れて授業にも行かず、この白茶けた廃墟みたいなところで何をしようかとさまよっていた気がします。

小林康夫

小林　ぼくは、戦後から七〇年くらいまで続いた「季節」を「肉体の季節」と規定していますが、狂気でも混乱でも暴力でもある、そういう喧噪と動乱の時代が、七〇年に急速に収束したという感覚を持っていました。自分はその熱い混乱の尻馬にのっていちばん若い者として参加していましたが、それを自分のものにするほどの時間はなくて、めまぐるしい動きに自分を放り込んでいるうちにそれがすっと冷めてしまって、どうしたらいいんだろう、という中断の感覚がありました。
その激しい戦後文化の「季節」において画然とあったひとつの中心が詩だった。ぼく自身、詩へのつよい憧れを持っていて、「現代詩手帖」を読んだり、同人雑誌を出したり、その仲間と「法政大学新聞」の詩のコンテストに応募したりと、詩を書く姿勢を見せていたのですが、七二年くらいだったか、持っていた詩集をぜんぶ捨てるという決断をした。自分はオーセンティックな詩人になれないという自覚がつよくあって、そこで詩を捨てたという意識があります。それでいまに至っています。野村さんは、同じ時期から逆に、すぐに詩人として歩き始めたというよりは、ひじょうにゆっくりと、困難な道を通って詩へと向かっていったのではないか。ぼくが詩をやめたところから、弟である野村さんがどのように詩を開始させたのかを聞いてみたいですね。

野村　いま思い返せば、日本の詩の歴史と断絶したところに身をおいたというか、断絶を自分でつくらざるを得なかった感じがします。小林さんと同世代の詩人、荒川洋治さん、平出隆さん、稲川方人さんといった方々は、ぼくにとって兄貴のような世代ですが、現代詩の中核を形成しつつあった彼らの作品とも自分の書くものはちょっと違っていた。七〇年代から書いてはいましたが、彼らについていって、模倣や批判をしながら次の自分の仕事をやっていくというふうになれなくて、なかなかスタートできないままふらふらしていました。それが定まったのは、むしろ外国の詩を読んでからです。ランボーに始まり、ルネ・シャールやパウル・ツェランを読んだりするうちに、自分の方向性をたぐり寄せられる気がしてきた。その途上で現代思想にも出会いました。日本の詩人ではもちろん吉増剛造さんの影響は受けましたが。

小林　ランボーやロートレアモンは、ある意味で熱い時代の象徴ですよね。新宿でデモに参加する人たちのポケットには『地獄の季節』が入っていたし、風月堂でマルドロールを読んでいたりしたわけですから。

野村　そうなんですけどね。ただ冷めたランボーというのか、あの頃は『地獄の季節』よりも『イリュミナシオン』に共感するところがあって、熱情が冷えていく、そして詩を捨てていくはざまにある、微妙なまなざしのランボーに惹かれました。恩師である渋沢孝輔さんの大学院の授業で『イリュミナシオン』を二、三年、徹底的に読み込んだ経験もあります。なので、ランボーといっても前の時代の受容とはちょっと違うかもしれません。

つまずきながら閾を超える

小林　ランボーは、ある意味では詩を捨てた詩人とも言えますが、野村さんはその詩を捨てるランボーから詩を始めたということかしら？

野村　詩を捨てる当の局面は見ないようにしていましたね。なにしろ、これから自分でも詩人としてやっていこうという時期でしたから。詩を捨てる直前の、沈黙はつよまっていくけど、なおまだ詩の言語はあるというぎりぎりのところに詩の可能性を見つけて、あとの沈黙はオフリミットにしてきたというか。

小林　すると野村さんは、ランボーのどこに協調点を見出すのですか？

野村　ランボーの世界創造的な身振りというか、言葉で宇宙なり世界なりがつくれるんだという、ある意味素朴なアニミズム的かつデミウルゴス的欲望でしょうか。言語活動をそのプラズマみたいな状態まで遡るといいましょうか、年齢によってランボー観も変わってきましたが、「幼年時代（enfance）」での言葉なき幼年にかぎりなく近づくような方向にやはり憧れます。幼年へのこだわりは中原中也にもあるのですが、あそこまで歌う感じではなく、もっと無機的というか異様な静けさもある場所で、かろうじて発する言葉。箱庭的でミニマムな世界かもしれませんが、言葉でそれをつくってみたい。

詩を書き始めたそもそもの心の動きにもそれがあった気がします。だからその意味で、さっきお話しした先行世代の精妙かつ詩史的に正統な詩的言語に比べると、シンプルだったたし、荒っぽかったかもしれません。

小林　それが今日に至るまで繋がっている。野村さんの詩集を読んでいると、現実世界の小さなきっかけから別の世界に落っこちて、そこからまた這って戻ってくるような感覚があります。野村喜和夫的彷徨はひとつのテーマというか、いや、詩の方法になっていますよね。吉増剛造さん的な疾走や、スピード感とは違って、自分がどこにいるのかわからないまま、何となくふらふらしている感覚。ランボーはシャルルヴィルからパリへ、さらに遠くへと最後はアフリカにまで行く旅人だけど、野村さんの場合は、旅というよりはわりと知っている場所をふらついて、ロラン・バルトだったら「incident（偶発事）」となりますが、「erreur（間違い）」みたいな小さなきっかけを突破口にして、次々とそこに見知らぬ「部屋」や「区域」が出てきてしまうみたいな……。そうした本人の意思に関係ない動きで奇妙な閾を超えていくのだけど、超えるときにいつも「あっ」とか「きゃっ」とか、なんか言うんです。意味にも行きつかない、意味以前の言葉、というか言葉以前の擬声、叫びですらないような。自分が言っているのかどうか、それさえわからない。それをひたすらやり続けている人という印象があります。

野村　閾の感覚というのは、ぼくの場合は大きいようです。つまずいたりして閾を意識することもありますし、面ではなくて線なのに、しかも逃れ去る線なのに、それによって何かかけがえのないものが自分にもたらされるひじょうに微妙な場所ですね。

小林　それに出会うために彷徨しているような感じだね。七〇年代以降、詩がどのように可能かとあらためて問われたときに、野村さんは生理的なものの延長に起こってくる、叫びでも嘆きでもない、間投詞的な世界として詩をつくろうとした。それが他に見られない、詩人・野村喜和夫の特徴かもしれません。高らかに抒情を歌いあげるとか、自分の思いを込めるとか、そういう意味にとり込まれずに、自分を貧しい状態に落とし込んで耐えさせる。自分につよい負荷をかけないようにも見えますけど。

野村　自分の感情をストレートに表出するのは、ぼくにとっては疲れるというか、それよりもやはり、ミニマリズムかもしれませんが、さまよって思わぬ閾をまたいでみる。すると自分が軽くなる、そこへ外が入ってくる、その外が詩なので、つまり端的に詩が書けるようになるんじゃないかと思うんです。それまで詩を重く考えていたのが、八〇年代に入った頃から、たとえばドゥルーズなどを読んで書ける感覚がつかめたのが大きかった。

肉の音楽を奏でる

小林　去年出された『閏秒のなかで、ふたりで』(ふらんす堂)では、都市や性、女性、性器にその閾がはっきり現れてきてますね。閾の前で「きゃっ」と言ったり、ふらふらと入り込んだりしますが、野村さんのなかでは、詩の動機そのものが性的なものと繋がっている。でも、この性的なものはあまり成熟した大人の性という感じがしない。子どもが初めて性に目覚めたときの好奇心や憧れみたいなもので、爛れに爛れて行き着いた大人の性の極致というのではない気がする。

野村　それは図星ですね(笑)。このアンソロジーを「週刊文春」で池澤夏樹さんが紹介してくださったのですが、「エロい詩集と帯にあるけど、全然エロくない」と。エロスそのものにはついに届かない(笑)。大げさに言うと、言葉のエロスに淫していているところがあって、閾の上で揺らいでいるうちに別のものの欲動へと流れていく。それが言語であるというか。

小林　もっと言えば、一種の実存的決断として、野村さんは成長を拒否しているように思えます。「アンファンス(enfance)」というよりも「インファンス(infans)」的詩人というか、それを一個の世界として生きられるところに野村さんの特異さがある。こちらにも愛しさが生まれてくる(笑)。「インファンス」という言葉はたとえばリオタールのものですが、ポストモダンの時代のありうべき戦略だったと思う。モダンが終わったときに、「インファンス」がひとつの抵抗の根拠として許される時代だった。サルトル的な大人の実存の構造をもって歴史と向かい合う対立拮抗のしかた、その有効性が消えたと見えたときに一種の後退戦が起こるというか、インファンス的ポジションによって次の世界がつくられていった。同時代を生きてきた人間の感覚として絶対にそれはあったと思いますね。

野村さんにとって、言語がもたらす世界は基本的には「肉」ですよね。肉のようにぐにゅぐにゅした、その肌触り・質に魅せられている。ひょっとしたら「骨のない肉」かもしれない。しかも自分の脳みそもそこに放り出されている。ただ、肉だけだと世界を構築できないので、括弧とか句読点とか改行などを通じて世界化していく。肉の音楽、肉のパレード。大人の官能性ではないけれども、とても初源的です。

野村　まだ個体として掬いとれず、独立した人格に結晶しない。あるいはそれ以前の分子状と言ったらいいか。ぼくはダリが好きですし、もっと好きなのがフランシス・ベーコンの作品なんです。おぞましいけれど見ずにいられない、ああいう世界に惹かれます。幼少期の記憶と繋がるかもしれませんが、記憶の古層に何かおののいた経験があって、どうしてもそこから離れられないようです。あとは蛇も偏愛するイメージですね。

小林　蛇は動く肉体で、肉が動いているんですね。本人も蛇的に動いている。詩＝肉なんですよね。ただ哲学＝骨かどうかはわからないし、野村さんの世界に骨が必要なのかどうかもよくわからない(笑)。とにかく世界が裏返り、内側なのに外側、外側なのに内側、と果てしなく位相反転的にやり続ける。世界じゅうの多くの詩人はダーザイン的というか、世界のなかに自分をおいてそこから歌うのだけど、野村さんはそうではなくて、もっとトポロジックな動き方をする。そうして詩の道を開き、その道を歩いている。

「私が言う」をめぐって

野村　タイトルの「詩の肉」は、いま指摘されたとおりぼくにふさわしいかもしれませんが、「哲学の骨」のほうは、ぼく自身も少し引っかかりました。つまり哲学がまず概念的に我々の思考の骨のようなものをつくり、そこに肉づけされたものがポエジーだろうという、そういう素朴な考え方がタイトルにも含まれているのですが、さっきの小林さんの発想で、内が外になり、外が内になるとすれば、「哲学の骨」というのは、ちょっとステレオタイプかなと。逆の「詩の骨、哲学の肉」というのはあり得ないでしょうか？

小林　骨、つまり肉の奥にロゴスが通っていて、そのロゴスを暴くのが哲学であるという、一種のロゴス中心主義と言ったら身も蓋もないけど、まさにその意味では、ディコンストラクションは哲学のそういうあり方をめぐって、かぎりなく骨を肉化したものだとも言えますね。ただ、ぼく自身はあまり哲学を詩と対置して考えていないかもしれません。

野村　それはなぜでしょう？

小林　世界に言葉で問いかけるという意味では、哲学も詩も同じですよね。どちらも実用的な言葉の使い方をしないで、哲学もパルメニデスやヘラクレイトスがそうであったように、もともと詩として始まらざるを得ない。ただ、その原初の言葉がロゴスとして論理化されるプロセスはあとにはどうしても出てくる。原初的フィロソフィアのひとつあとの形態ではそうなる。

詩には、「いま私が世界を歌う」がありますね。つまり「私が言う」ことを目指し、そこからはじまっている。そういう言語行為が詩だとすれば、哲学はそれをいったん無化させるわけです。「私がこう思う」ではなく「世界がこうだ」というように。では詩の場合、「私が語る」ことそのものが究極的に不可能になったとしたら、どのように可能であるのか。ツェランがそうですが、「私が言う」とか「私が語る」が成立しないにもかかわらず、分散的に詩が出来してくる。そういった意味で、哲学と詩はクロスしてくる気がします。詩なき哲学はないし、哲学なき詩は、抒情としてはあるのかもしれませんが……。

　ランボーによる転換とはつまり、私が歌うのではないということですよね。『地獄の季節』はまだ自分が、しかも強烈に語っているように見えるかもしれない。でも『イリュミナシオン』の場合、さっき出てきた「幼年時代」がとくにそうですが、世界が明晰に構築されているにもかかわらず、その明晰さは私に由来しないというか、私がいまこの世界を歌いあげる、という構造にはなっていない。

野村　まさにランボーのそこに惹かれたんです。「私が言う」ではちょっと物足りないというか、いまの感覚じゃないというのが確かにありましたね。

小林　マラルメにも「Je dis:une fleur!」がありますね。「私は言う、花と」。すると芳しい観念の花が立ち昇るという。いまの時代、詩人ひとりひとりは、その「私が言う」についてどのように違うポジションを持っているのですか？

野村　いろいろだと思いますが、個的に、モナド的に閉じこもって、自分の個を問題にするときは、やはりどうしても「私が言う」ことが基軸になってしまう。「Je dis:une fleur!」だけで終わっている人が結構いるのではないでしょうか。マラルメのように、その「私が言う」を、「芳ばしい観念の花」によって無化するというプロセスまでは至らない。

小林　詩の「言う」ことと哲学の「言う」ことがどうクロスするか、突きつめるとその問題ですね。哲学もテーゼだけ持ってきてあとは削ぎ落としてしまうことで、たとえば〈論理哲学論考〉のヴィトゲンシュタインみたいに、命題だけを書いたものがいちばん詩的に見えてしまったりもする。詩人も真っ青となってしまうわけですが、そのように振る舞うのでなければ、詩も哲学も「私が言う」という事態＝到来をどこからどう汲みあげてくるのか、そこが決定的に問われているし、これからの時代、ますます問われると思います。

ところで野村さんの本にはシャールは出てくるけど、シュルレアリスムはあまり出てこないですね。シュルレアリスム的なものは、野村さんのなかでどうなっているのかしら？

野村　もちろんたくさん読んでとり込んだり、影響を受けたりしていますが、自分の内面を表出するのにはやはり抵抗があって、シュルレアリスムの場合、それは無意識とか狂気という言葉で語られますが、スタイルとして案外素朴でポジティブな身振りを感じるので、若干の違和感はあります。無意識というものがア・プリオリに設定されるというところが、詩を書いてきたかぎりではよくわからない。詩を書いていると、同一的な主体だけでは書けませんし、もうひとりの主体がそれを攪乱したりコントロールしたりせざるを得ない。まあふつうに言えば、もうひとつのメタな視点がないと書けないですね、ぼくの場合は。

小林　たとえば、アンドレ・ブルトンの『ナジャ』や『狂気の愛』、『アルカナ一七』などは、いまだにぼくにとってはエクリチュールの指針でもあります。ぼく自身はあまり実践していないし、無意識という言葉がすべてとは思わないですが、シュルレアリスム的な可能性はもう一度戻ってくるような気がしています。

野村　日本語が本来持っている特異性と、シュルレアリスムの無意識なり何なりというものが、いまひとつ親和しないような気もしているんです。これは精神分析にも言えることかもしれませんが。

小林　それは何となくわかる気がします。アルファベットで書かれる言語構造を持つ言語に対して、日本語はたった五つしかない母音にすべてをのせていくわけですね。オートマティスムという手法は、それを使う使わないは別にしても、方法論としては大きな可能性を開いたと思うし、ランボーの詩学をあるしかたで受け継いでもいますが、それを日本語にそのまま適用できるかというと、どうでしょうか。日本語の特徴であるシンプルな母音的世界にぜんぶとり込まれていくようにも思えますね。ぜんぶ、歌になってしまう。子音の切れが消えて、母音の音引きのなかにすべてが溶け込んでしまう。個人的な無意識ではなくて、共同体的な、日本語的世界の前意識的な親和性のほうに持っていかれるわけです。

ぜんぶ「詩」だった

野村　ぼくは小林さんの十代の頃のものだと思いますが、詩のテキストを持っているんです。劇団駒場のものだったでしょうか。時代の雰囲気がたっぷりある作品でした。

小林　寺山修司さんがやっていた雑誌「地下演劇」を芥正彦さんが一号だけ乗っとったんです(「ホモ・フィクタス」)。劇団駒場でやるってことで、誰か編集をやる者はいないかとなり、留年してひまだったし、編集は好きだったから、作業を引き受けました。大岡昇平さんや高橋康也さんのところに原稿をもらいに行ったりして、楽しかったんですが、ぼくの詩も載せていいでしょうということになって、「無心伽藍」という横書きの作品を掲載しました。それがたぶんパブリックに詩を書いた最後です。あの時代の詩への訣別の詩でした。

野村　もうひとつ見つけたのは、黒田アキさんとのコラボレーションの作品です。フランス語で書かれていましたよね。

小林　一九九五年にパリで住んでいたアパルトマンの螺旋階段の写真を撮って、その横にフランス語で書いた詩ですね。詩人という意識はないので、逆に、書こうと思えば、いくらでも書ける。うまく書こうとか思わないし、出てきた言葉を書くだけ。軽井沢のセゾン現代美術館の展覧会でも、青がテーマで何か書くということになって、二〇一一年でしたから「ブルー・カタストロフィー」というのを書いた。ほかにも書いてますね。

一九七一、二年に自分は詩人として生きることを放棄したと言いましたが、最近、自分が昔書いたものを読む機会があって、逆にぼくは「詩」しか書いてこなかったなと思ったんですね。いわゆる詩作品の形では、二十二歳くらいで思いつめた顔をしてやめたけど、六十六、七歳になって考えてみたら、結局、その後も書いたものはぜんぶある種の「詩」、批評的な「詩」――「詩＝危機」と言ってもいいけど――だったんじゃないかと。もちろん、大学という世界で通用するようには書いているけど、さきほどの「私が言う」という行為のあり方からすると、最終的にはぜんぶ「詩」だったのかもしれないな、と。もちろん、それは、他者にとってではなくて、あくまで自分自身にとってですが、放棄・断念自体が、それを別な形で存続させたとも言えるかなあ、と。最近、そう考えて、自分でちょっと驚いた。

野村　兄としての小林さんを見ていて信頼し、共感できるのはそのあたりです。小林さんが書いているものの総体は、ある意味哲学のどまん中だけど、哲学から逸脱しているものもある。文体から発想まで、広い意味での詩的なものに満ち溢れています。

小林　ぼくは、たとえばフロベール論とか、ブルトン論、デリダ論のような形で、ひとりの固有名詞のもとに一冊をまとめることをしなかった、できなかった。学者としては失格かもしれないけど、そういうとり組みや生き方を望んでいなかったんです。だから野村さんと変わらないというか、そのたびごとにふらふらと、野村さんが街を歩く代わりにちょっとリルケを読み、ちょっとデリダを読み、建築やダンスのことも書いて、そのつど括弧つきの「ポエティック」を書いていた人生だったのではないかと思ったりもする。誰も言わないけど、結局自分は吟遊詩人だったのではないかと（笑）。

野村　小林さんはひとつひとつのことにこだわらないですよね。やはり遊動的というか、遊撃的というか。それもやっぱり詩人のスタンスに近い。

小林　こだわれないんですよ。何にでも興味があるので、そのたびごとに手を出すというか。だから野村さんは詩の世界のなかで「彷徨（errance）」をやっているのだけど、ぼくはある意味では、詩と見なされない領域で、自分なりには詩的彷徨をやっていただけじゃないかと。その意味で、兄と弟の関係がちゃんと成立するのではないでしょうか（笑）。

これからの詩と哲学

小林　野村さんの評論集の最後には、いや、ポストモダンは続く、まだやらなければならないと書かれていましたが、これから先の時代はどうなるのでしょう。難しい問題ですが、モダンとはまた違った、しかしインファンスではなく、厳しい大人の世界が始まる、その時代の切れ目にいまいるのではないか。ぼくはそういう感覚を持ちます。トランプのアメリカ大統領就任もそうですが、世界のさまざまな動きを見ていても、金融資本主義＋情報テクノロジー文化にひとつの限界が可視化されてきていて、それを人類がどう超えていくのかが問われているように思います。そしてそのときに、詩はいったい何なのか。詩に何ができるのか、という言い方がいいかわからないけど、その問いもまた浮上する。つまり、情報に対して、ビッグなデータに対して、このあまりに貧しい「私は言う」はどう機能し、そこにどのような世界をたしあげるのか。

野村　物事にはすべて臨界がありますからね。その実感はあります。先が見えないだけで、それが近づいてきている。数日前中国の若い詩人たちを招いた交流イベントで、ぼくは詩人を瀕死の病人の状態にたとえたんです。瀕死の病人には、ふつうの人には見えないようなものがたまたま見えたりしますよね。極端に言えば、臨死体験であるとか。社会的、経済的な意味で健常な者には見えないもの、亀裂とか揺らぎとか、もっと言えば、未来からのカタストロフィーの予感とか、瀕死の状態の詩人のほうがぱっと見えてしまうんじゃないか、と。アガンベン的に言えば、人間の残余みたいな存在のほうがかえってそういうものを見る能力を与えられているのかもしれません。逆説的な贈与のように。それがこれからの詩かなという気もします。

小林　自分をいかに乏しくするか、自分のなかにその瀕死をどうつくり出すかが、その意味では大事ですね。どのように瀕死であるのか、自分がいまどのように瀕死を引き受けるのか、その覚悟が問われると思う。詩と哲学の問題を追いかけてきて、この先の哲学についてはどう考えますか？

野村　素人なりにいろいろ読むなかで、別の実存というのか、フーコーが最後に辿り着いたような、モダンでもポストモダンでもない別の実存、別の大人、そういうものが誰かによって書かれるのかな、という感じはしますが。

小林　この瞬間の現在については、詩という観点からどう感じているのでしょうか？　最近は「LAST DATE付近」という連作も書かれているようですが。

野村　もうこの歳になっても、詩を書くことによってしか自分の実存を確かめられないので、そのぎりぎりのところでやっているつもりです。ただ終わりの感覚というか、実際の終わりじゃないけれど、とりあえずの終わりを設定して、無限に終わりに近づいている現在を書く、つまりいまという時間のいわば微分ですけれども、そうして感じ取られたほとんどぎりぎりの状況がいくつか書かれていく。さきほどの放置された脳みそもそうですが、そこで発する実存＝言語の火花みたいなものを定着してみたいと思っています。

小林　「LAST DATE」とは死、つまり最後の閾ですよね。野村さんにとって、それはどういう意味を持つのですか？

野村　終わりをひとまず設定しておいて、そこに向かって無限に接近していくと、いったいどういうものが見えてくるのか、という感じです。まあ、わかりやすく言えば、ひとつひとつを遺稿のように煌めかせたい。ぼくにはどうしてもランボーの『イリュミナシオン』や後期のツェランのような、沈黙を地に浮かびあがってくるような詩のたたずまいに憧れるところがある。これまではコンセプトやテーマを設定して、連作の形でひととおり書き尽くしたかなと思ったところで詩集にしていたのですが、そろそろそれもいいかなと思って。コンセプトやテーマをあえて設定せずに、ただ最後の日付だけを仮定して、そこに向かっていくベクトルを言語化しようと考えています。

小林　野村さんの詩には、日付へのこだわりもありますよね。『アダージェット、暗澹と』はぼくの好きな詩集ですが、あれにも日付が刻印されています。

野村　たしかあの頃、小林さんが共訳されたデリダのツェラン論『シボレート』を読んだ記憶があります。たしか日付が、割礼と結びつけられたりして論じられていましたよね。そのレミニッセンスがはたらいていたかもしれません。

それはともかく、出来事には必ずひとつの日付が刻印されるわけですが、同時にそれを出来事の力で無化してしまう。弁証法とは言わないけれど、日付があり、その絶対性が強調される瞬間に消えてしまう。出来事にはそういう力があると思います。

小林　どの日付もLast Dateで一回限りであると同時に、日付はまた回帰してくるものでもありますね。消えるんだけど、戻ってくる。「時」が戻ってくる。そこに、「詩」の究極の（不）可能性もあるかな。でもきっと「兄」と「弟」というのも同じだと思うな。謎めいていますけどね……。

VS 杉本　徹

言の葉のそよぎの生起する場所へ

2012.6.1

散文が書けなかった

杉本　このたびは鮎川信夫賞受賞おめでとうございます。今日は受賞作の意義を確認しながらお話をうかがいたいのですが、野村さんの著作をある程度読んできた人ならきっと誰しも感じることでしょうけど、詩人野村喜和夫にとって詩論が評価されたことはとても大きな意味があると思います。今回受賞した『萩原朔太郎』（中央公論新社）、『移動と律動と眩暈と』（書肆山田）の二冊は、野村さんがここ十年近く展開されてきた、ひとつはオルフェウス的主題の系譜、もうひとつは詩的ガイネーシス、詩的母胎の探求の系譜ですよね。このふたつの系譜が合流し結実した姿であり、かつこのふたつの系譜がここからさらに展開するだろうという、重要な通過点と感じます。その意味で言えば、この二冊の立ち姿を裏打ちするかたちで、直前の三冊の詩論集が存在しているのではないでしょうか。すなわち、『詩のガイアをもとめて』（思潮社）、『オルフェウス的主題』（水声社）、そしてあとからも言及しますが『金子光晴を読もう』（未来社）ですね。これら三冊を合わせた五冊の歩みが受賞した、とある意味言ってよいと思います。

野村　おっしゃるとおりで、ここ十年ぐらい追求してきた主題を今度の二冊でも展開しているのだと思います。それぞれの個別のテーマを立てた『オルフェウス的主題』『詩のガイアをもとめて』は、どちらかと言うと、詩の専門読者に向けて書いたようなところがありました。ですが、今回の『萩原朔太郎』は明らかに一般読者を意識した啓蒙書のようなもの、もう一冊の『移動と律動と眩暈と』はこれまでの評論集に収め切れなかった詩的なエッセイを集成したものですので、少し本筋から外れてくるところがあります。以前から提示してきたテーマが一般向け、あるいは他ジャンル向けに流れ出したという感じでしょうか。厳しい選考委員の方々の目にまさかとまるとは思ってもなく、この二冊が受賞したことはぼくとしては意外でした。

杉本　野村さんの書かれてきた詩論や散文は、これは意外に本質的に特筆すべきことなのかもしれないですが、非常にわかりやすく、つねに一般向けの風合いがあるように思うんですが、書くときにそこは意識されているのでしょうか。

野村　わかりやすく書こうという意識は前からありますね。というのは、トラウマみたいなものでしょうか、ぼくが詩論を読みはじめたのは七〇年代から八〇年代にかけてですけれども、たとえば「現代詩手帖」に載っている詩論などに何を言っているのかよくわからない論述のスタイルがけっこうあったりして、ちょっと違和感を覚えた部分があったんです。一方、フランスの詩人による詩論も読んでいて、そちらは、テーマやコンセプトは難解でも、文章自体は明晰です。言語の違いということもありますが、詩はともかく、詩論は明晰に書くべきではないか。そういう思いが多分にあるのかもしれません。

杉本徹

杉本　詩論というのは基本的に、西脇順三郎の詩論のタームを半ば冗談で引っぱり出せば「つまらない現実」だと思うんですけれども、そこに揺さぶりをかけてある種の快感をもたらすという趣旨で考えると、話が飛びますが、西脇の『超現実主義詩論』自体がそうではないかなと思うんです。詩論という体裁をとりながら、その「つまらない現実」にひとつのありえないような書きかたで揺さぶりをかけ、本来の詩論のありかを即自的に示す。野村さんがいまおっしゃったことを聞いていると少し重なってくる気がしました（笑）。

野村　それはおこがましいというか、光栄ではありますけれども。

杉本　詩と詩論の組み合わせは、ほかの詩人にとっても重要だと思いますが、詩人野村喜和夫とその詩論というのは、ひと回りもふた回りも大きく両輪になっていると感じるわけです。詩を書き出された七〇年代のころから、詩論をイメージする、あるいは詩論をかたちにするという意識はありましたか。

野村　いや、むしろ全然なかったたですね。最初は詩論やエッセイなんかをふくめ、散文というものが書けなかったんです。えらそうに言うと何を書いても詩になってしまう――多くの詩人は若いころそうかもしれませんが――みたいな。だから自分に散文が書けるのかなと疑念を抱きながら書きはじめたところがありました。その意味では、編集部を立てるわけではありませんが、小田久郎さんをはじめとする現代詩手帖の編集部に鍛えられたところがあるんですね。これはぼくだけじゃなくて、城戸朱理さんと話しますと、彼も同じようなことを言っています。最初は書けるかどうか自信がなかったって。

杉本　最初の散文なり詩論なりが時評的なものからはじまるというのは、だいたいみんな踏襲するパターンですよね。野村さんの詩論は、二〇〇一年までに三冊が出ています。最初の『ランボー・横断する詩学』（未来社）は、ランボーを研究対象とされていたので必然だと思いますし、あとの『散文センター』『二十一世紀ポエジー計画』(ともに思潮社)の二冊は時評的な文章をまとめたものです。その意味では二〇〇四年の『金子光晴を読もう』のあたりが、野村詩論のいよいよ本格的な展開だなという感じがします。

金子光晴という存在

杉本 とりわけ世紀の変わり目のあたりから、詩論を書く野村さんと詩人としての野村さんの、隣接したその両面を過去にも遡ってつぶさに見ないといけないという気がします。現代詩文庫『野村喜和夫詩集』の解説で渋沢孝輔さんも触れていますけれども、最初のころの詩篇からメタ詩的な色彩がつよいと感じるんです。別の言葉で言うと、イロニーであり、ある種のファルスであるというような色彩ですね。野村さんは『散文センター』の「詩学マトリックス」のなかではっきりと「詩人の行為とは、詩とメタ詩とのあいだで演じられる笑劇のようなものである」とおっしゃっていますが、このメタ詩的な意識は詩を書く当初からあったんでしょうか。

野村 それはあったように思います。つまり、どんな詩人でもやっぱり作品のなかに批評が内在していますからね。ぼくも、実際に批評やエッセイを書けるかどうかはともかくとして、詩を書く以上は詩に批評性を内在させたほうがいいだろうとは感じていました。詩を書いている自分、さらにそれを見ているもうひとりの自分、その分裂した二重性のなかで書いていくのをかなり最初から意識していました。

杉本 そこにはランボーへの意識が、当然のことながらつよくあったのだろうと感じます。もうひとつ、金子光晴という存在への意識は当初からあったのでしょうか。

野村 ぼくの行きかたはずぼらというか、ぜんぶいい加減なんですよ。何か偶然の出会いやきっかけをばねにして仕事に結びつけていくみたいなことばかりやってましたからね。ランボーはともかく、金子光晴は最初から関心があったわけではないんです。四十代になってからたまたま一年間、日本を離れてパリに住むことになりました。無一文で社会的地位もありませんでしたから、そのとき境遇として似ているのかなと金子光晴が浮かびあがってきて、いい機会だから全作品をフランスにいるあいだに読んでみようと全集を向こうへ持っていった。それがそもそものきっかけです。『金子光晴を読もう』のなかに書きましたが、萩原朔太郎、西脇順三郎、宮沢賢治、中原中也などと比べると、金子光晴はポエジーとしてやや弱いかなと最初は思っていたんですよ。ところが、読みこめば読みこむほど味が出てくる詩人というのでしょうか、すっかりはまってしまいました。

杉本　『金子光晴を読もう』を読んだからというのはもちろんありますが、野村さんの歩みを私なりに見ていると、両者の生涯という意味ではなく（笑）、作品生成のありかたが、金子光晴ととてもよく似ている気がします。その意味で、金子光晴が意識にのぼったのはいつごろなのかなと思いました。詩人の書く詩論、とくに初期に書く詩論というのはたいてい、自作のアポロジーとなっていて、だから自作のありように見事にかぶってくると思うんですね。とするならば、金子光晴と野村さんとの共通点として浮上してくるのは、この本で書かれている「基底としての散文」だと思うんです。底辺に散文がありつつ、散文と詩の「双方の富を交換し合っている」ような立ち姿。野村さんにも同じことが言えるのではないでしょうか。ただ「基底としての散文」のありかたは、当然ながら、金子光晴と野村さんの場合で違ってくる。野村さんの言葉を借りれば、金子光晴は散文が「スケッチないしは文体練習」のようなところからはじまり、やがて「自己組織的にうごめきだす」。これが頂点としての詩に至ることで、たとえば『鮫』という詩集に結実していくわけです。そこは野村さんはちょっと違うように感じます。野村さんはああいう金子光晴的なスケッチをしたり、ということはあるのでしょうか。たぶん、ないですよね。

野村　いや、言われてみるとたしかにしたことはありませんね。

杉本　野村さんの場合は、「基底としての散文」が、詩が生成するときには詩作への問いかけというかたちで同時進行的にはじまっていく、しかも表裏一体的なかなりの強度ではじまっていく、その強度において何かオリジナルな核心がうごめくようなスタイルだなと思うんです。そして詩作と同時並行するかたちで、やがて詩への問いかけが散文脈としても展開されていく。いずれにしても、表れかたは違うにせよ、「基底としての散文」という部分においては金子光晴と共通していると思うんです。

さらに言うと、「基底としての散文」を内在させながら、そこから先の、詩作品への具体的な表れかたで似ている部分があると思います。『金子光晴を読もう』における野村さんの分析を引っぱって言うと、メタファーというよりメトニミー（換喩）中心であるというところです。メトニミーは隣接するものをたぐり寄せる比喩ですけれども、こうした隣接物によって横へ横へと平面的に広がっていく。そこに身体が見え隠れし、身体的な地平がメトニミー的な広がりのなかに表れてくる。野村さんの言葉ですが、「いわば身体を発見しつつ、その身体とともに大地的な流動性ないし逃走性そのものを生きてゆく」というありかたですね。このあたりになってくると、野村さんは金子光晴のことを書かれているんですけれども、まるでご自身を語っているように思いました。金子光晴についてはその延長で「皮膚の発見」というところまで行くわけです。つまり、「皮膚」という自分の内と外を分かちながら交流させ、自分を守りかつ開いていく、その境目のようなものの発見に行きつくわけですが、この「皮膚」を「肉」の発見に――ペソア論に引きつけて、「泡のような肉」「空洞の肉」と言うべきでしょうか――置き換えると、これはもう野村さんの詩の世界そのものだと思いました。

野村　大変ありがたいご指摘で、書いている本人もわからなかったようなことが、いまになってようやくわかってきたというか、いや評論を書くというのは恐ろしいことですね。他人の作品を論じているつもりが、そうやって自分の詩のことを語ってしまっていて、自分の詩作のモチーフがあらわになってしまう（笑）。まったくそういうことを意識せずにこの本を書いていましたからね。まあしかし、詩の場所としての身体とか言語の肉体性というテーマなんかは金子光晴と出会うかなり前から意識していましたので、そういうものが金子光晴を引き寄せたのかもしれません。

メタファーとメトニミー

杉本　野村さんはこれまで、メタファー的な、あるいは象徴主義的な詩法を意図的に避けようとするような、そんな意識はありましたか。

野村　それはありましたね。世代的な意識があると思うんですが、メタファーや象徴主義的な方法で書くのはもう飽和点に達しているのかなと。ぼくの師匠である渋沢孝輔さんの作品なんかを見ているとあれがもう極北という感じがしていましたし、あれより先に行くのは難しいなと思っていましたから。

杉本　渋沢さんとメタファー、メトニミーということについてお話されたことはあったんでしょうか。

野村　いや、私がよく話をうかがっていたころはまだメトニミーというのは話題になってなかったですね。ぼくがメタファーとメトニミーの関係を意識しだしたのは、九〇年代に入ってからです。とくにドゥルーズを読んで、そうかメトニミーというのはおもしろいんだとわかったんですね。ただ、誤解のないように言っておきますけれども、やはり詩の基底にあるのはメタファーだと思うんです。メタファーそのものを否定してしまうと、詩そのものを否定することにもなりかねないし、そういうことは言ってないんですね。象徴主義的なメタファーの遣いかた、戦後詩的なメタファーの遣いかたが、ぼくらが詩を書きはじめたころにはある種の臨界点に達していたであろうというだけのことです。

杉本　なるほどそれはよくわかります。あと六〇年代詩の書きかたの直接の影響があったんじゃないかという気がしているのですが。

野村　ありますね。いちばん影響を受けたものは、ぼくにとっては言語の暴力性とかラディカリズムとか言われた六〇年代詩です。

杉本　少し詩のほうへ話をもっていきたいのですが、野村さんの詩は、作品の表面に、詩を問うている主体が出てくるときと、それがとりあえず引っこんでいるときとがあると思うんです。そして、詩とか詩作を問うている主体が表面に出てきて仮構されるときには、わりと彷徨の様態をとるように感じます。この姿が出てきたときの野村さんの詩のスタイルを、私なりに『反復彷徨』（思潮社）につなげて「野村独歩」という名のひとつの系で呼んでみたいと思います。『反復彷徨』の重要なモチーフである国木田独歩とのアンドロイドですね（笑）。そして一方、金子光晴的な書法にリンクし、メタファーではなくメトニミー的に身体の発見を呼び寄せながら進んでいく系がある。ランボー的な断片性への志向もそこに当然かかわるとは思いますが、書法的な面が正面に出てきて、さまよう主体がとりあえず後ろに引っこんでいる詩集の系統、これを「金子喜和夫」系と呼んでみたい。とてもラフスケッチですけれども、野村さんの詩作の歴史を見ていくと、このふたつの系譜が大きくあるのかなと思いました。

個人的な好みを言いますと、この「野村独歩」さんと「金子喜和夫」さんのふたりが絶妙に調和している姿が好きですね。具体的に言うとまず『反復彷徨』。ここで「野村独歩」さんの姿がかなり明確に出てくる。つぎに『風の配分』（水声社）です。この『風の配分』という詩集はたいへん重要だと思うのですが、たぶんいちばん見やすく「野村独歩」さんと「金子喜和夫」さんが対比されていますし、かつほかの詩集と比べて「野村独歩」さんの姿が大きく見えます。詩人／詩論家のふたりの野村さんが一冊のなかで出ているという意味では、先はど二十一世紀になってからの詩論の五冊と言いましたが、『風の配分』を加えて六冊としても、野村詩学の展開としておもしろいんじゃないかなと思います。重要な詩集であるとともに、同じ散歩者としてこれは本当に何度も何度も携えて歩いてしまう本なんです(笑)。詩集では『反復彷徨』『風の配分』ときて、つぎに『ニューインスピレーション』(書肆山田)、そして最近ですけれども『ZOLO』(思潮社)という一冊。もちろん『街の衣のいちまい下の虹は蛇だ』(河出書房新社)とか、第一詩集の『川萎え』(一風堂)なんかも入れたいのですが、極力見えやすくするという趣旨で、しぼりこんでの四冊。この四冊を定点観測的におさえていくと、「野村独歩」「金子喜和夫」両者のある種の混合体、ブレンドの絶妙さがわかりやすいという気がします。いちばん新しい詩集『ヌードな日』(思潮社)は、その意味で言いますと、「金子喜和夫」さんの純粋な結晶体だと思うのですが、いかがでしょうか。

野村　そうですね。あれは明らかに金子光晴ですね(笑)。

杉本　ついにここまで来たかという「金子喜和夫」さんによる作です。ここまで純粋な「金子喜和夫」さんはほかにない。なんと言うか、金子光晴が三人ぐらい詩集のなかにいますよね(笑)。過剰なまでのメトニミーというか、横へ横への広がりがある。

野村　金子光晴の晩期の詩集に『よごれてゐない一日』というのがありますね。タイトルという意味でもちょっと似ていると思います。

根源としてのオルフェウス

野村　杉本さんの分析を聞いていて、いやさすがだなと思ったんですけど、たしかにいま振り返ってみると、『風の配分』がある時期からのぼくの原点になっているかもしれません。あまり苦労話はしたくありませんが、ちょうど四十代の半ばごろで、さきほども話しましたが、ダンテじゃないですけれども、少し人生の森に踏み迷うことがありまして、日本を離れて外国をさまよっているときに書いた本です。それまでの自分をいわばタブラ・ラサして、背水の陣を敷いて書いたという記憶がありますね。ノートパソコンを持ちながら移動し、その場でどんどん書いていました。

杉本　背水の陣、か……。そうすると現実的にも金子光晴の影は多少ちらつきますね。集中の「七ホテル」のいくつかは日本だから別として、ほかはその場で書いていたということもふくめて。当初は詩集をつくる意識もなく書いていたと、この前おうかがいしましたが。

野村　そうですね。それだけに剝き出しのエクリチュールというのか、ジャンルの一歩手前、もしくはその向こうで書いていたという感じがしますね。

杉本　その意味でも、詩論家である野村さんの姿がよいかたちで出ている気がします。散歩者／野村喜和夫、という角度から見ても、『風の配分』は現実の散歩の匂いがリアルに伝わってくる。『反復彷徨』をはじめ、野村さんの散歩詩は多々あって、けれど特徴としていずれも即座に詩的言語に変換されて事物が来るという印象がありますが、『風の配分』は外界から来る事物にしても、風景にしても、わりと剝き出しのままふっと置かれている。絶妙の散歩詩集と思います。『風の配分』に書かれている内容には、のちの評論集のなかでくり返されていく事柄も多くありますよね。

野村　あります。よく言えばテーマが回帰しているんでしょうけれども、わるく言えば無用なくり返しですけどね。いくつかのオブセッションとなるような、テーマなり語彙があり、それがいろんな場で、あるいはいろんな場所を移動しながら変奏されていくというスタイルなんでしょうね。

杉本　ただ、オルフェウスの主題に関しては、実際の野村さんの詩作には反響していませんよね。

野村　それはないですね。まだ奥さんは生きていますし、母親をふくめ何人か親しい死者を送りましたが、死んだ恋人とかはフィクションでないかぎりありませんから。詩人といえども、ただ単にフィクションから作品を生成していくのは難しいし、仮にしたとしてもリアリティは保証されません。そういう意味では、ぼくのなかで「オルフェウス的主題」というのは、対象となる作品を論じるうえで設定する作業仮説みたいなものでしょうね。ただ、ブランショも示唆するように、作家全般にとって本質的なテーマではあると思いますが。

杉本　吉増剛造さんを語るときに、オルフェウスに引き寄せて「断片性」という文脈で書かれていましたが、あえて言うならば、そこに引っかかってくると思います。

野村　なぜ『オルフェウス的主題』という本を書いたのかというと、ぼくの頭のなかでずっと響いてきた詩のフレーズがあるんですね。吉増さんの「鮮やかなるかな朝鮮、オルペウス」という一行。なぜ朝鮮とオルペウスなのか、その連関はわからないまま、ただその言葉がずっと響きつづけてきた。吉増さんにとってもおそらく物語の内容的にはオルフェウスではないわけです。奥さんは亡くなっていませんしね。ただ、詩人としてのありようはとてもオルフェウス的です。というのは、オルフェウス自身は地獄へ下っていく、つまりはさまよう人であり、そのようにして作品を求めてさまよう姿が、オルフェウス的主題を規定すると思うんですね。そのさまよいが言語化されれば自然に断片化していく。そういった意味において吉増さんはオルフェウスですし、自分もまた詩作の根源としてオルフェウスについて考えざるをえない、そんな感じでやってきました。

杉本　そこでためしに無理やりこじつけてみると、『反復彷徨』に登場する、渋谷の独歩住居跡にある杭、ひょっとするとこれが野村さんにとってのエウリュディケーに相当するのかなと。何年か前に、実際にあの杭を見たことがありますが、あの木の棒がなんだかとても素晴らしいものに思えてきました（笑）。

野村　それはありがたい解釈ですね。なんとも惨めなエウリュディケーですけどね（笑）。

杉本　まあ杭の話は措くとしても、オルフェウスという詩人の祖型、オルフェウス神話というものは、つくづくおもしろいものだと思います。これほど語り直され、おそらく今後も語り直されるだろうプロトタイプの物語はほかにないですよね。日本の現代詩だけ振り返っても、鷲巣繁男から高橋睦郎さんなんかも、かなり原理的な考察を加えてましたし、今回また野村さんがこうして新たな息を吹きこんだ。これは何なのだろうと、つくづく思います。最近も新訳の出たダンテの『新生』など読んでいると、宿命的に詩人は全き成就ということを拒まれていて、成就とは詩人においてつねに振り返ることであるという、逆説的な思いがよぎります。先ほどの野村さんの言葉を接続すれば、成就とはそうして事後さまようこと、さまようありようそのもの、ということになるのでしょうね。

移動／律動／眩暈

杉本　オルフェウス的主題の文脈で語られる萩原朔太郎と宮沢賢治。このふたりのオルフェウス的ありようは、やっぱりおもしろいなと思います。このオルフェウス的主題の展開として『萩原朔太郎』の内容をたどっていくと、数多く興味深い箇所が出てきますが、私はとくに「『青猫』以後」の彷徨詩篇へもっていく展開をおもしろく読みました。「浦」という謎の女性の問題はありつつも、「〜地方」として展開されている彷徨詩篇に至って、朔太郎自身が自分の生理から少し離れ、虚無をベースにしながら、幻視的な、どことも特定できない地方のようなものをじっと見つめながらさまよっていくスタイルになっていく。あのあたりの展開は、私の見かたですけれども、西脇順三郎とかぶってくると感じます。彷徨詩篇でどことも特定できないような地方を見つめているという意味では、西脇の『Ambarvalia』も一種どこでもない場所ということで交錯していく。朔太郎の場合は浮かんだイメージを列挙して歩いていきますが、西脇の場合も風景や事物、植物なんかを目にしてイメージを派生させながら歩いていく。似ていると思います。

野村　ぼくも同じような意見を持っていて、この『萩原朔太郎』にはとくに書きませんでしたが、萩原朔太郎と西脇順三郎の交流はよく言われます。朔太郎の晩年には二人でよく渋谷界隈で飲んでいたこともあるというふうに。西脇は萩原のことをマイスターと呼んでいたとか、いろいろとありますが、じゃあテーマ的に西脇が何を萩原から継承したのかというと、ぼくはやっぱり『青猫』以後」に見られる彷徨詩篇の系だと思うんです。これらを西脇なりに消化し、新たな詩学のほうへと解き放った気がするんですね。それは日本の近代詩のテーマの継承の仕かたのなかでも際だった風景として立ちあがってくる気がします。

杉本　同感です。図らずも似てしまった面があるとは思いますが、たしかに重なってきます。野村さんは『詩のガイアをもとめて』で西脇の『失われた時』を引っぱってきて、永遠の側からメディエーター的に見つめてくる西脇のありかたについて書かれていますが、朔太郎には「虚無」をひとつの媒介として世界を逆に眺め返すところがあり、そこで図らずも虚無なり永遠なりの側から眺め返すような歩行ということで両者が重なってくる。『詩のガイアをもとめて』『萩原朔太郎』の二冊を通して読んでいくと、そのあたりもたいへん興味深く浮かんできました。

野村　まあ西脇順三郎のことは、杉本さんの守備範囲ですし、西脇において朔太郎的テーマがどのように展開するのかは杉本さんにおまかせして、存分に書いていただきたいと思います。

杉本　オルフェウス的主題でも、あるいはガイアの主題でもいいですけれども、今後このテーマ系でアプローチしたいなと思ってらっしゃる近代詩人や現代詩人はいますか。

野村　いや、とくにないですね。『失われた時』という西脇の作品のごく一部ではありますけど、まがりなりにも西脇を論じることができて、ひと段落ついたかなという感じはあります。そのあともし続けるとすれば、たとえば彷徨の系譜を引き継いでいる吉増さんに行くんでしょうね。吉増さんのなかにある土地の精霊、大地母神へのかかわりの仕かたも、西脇の「幻影の人」や朔太郎の「地面」を引き継ぐものでしょうから。ただ、そのあたりのことも誰かほかの人にやっていただけるといいなと思います。

杉本　今回受賞したもう一冊の『移動と律動と眩暈と』は、『ランボー・横断する詩学』から書かれてきた詩論のエッセンスが変奏して出ていますよね。『散文センター』の「詩学マトリックス」とも響き合うし、野村さんの言葉で言うと、「翻訳空間」「もう一つの母国語」という切り口だったり、あと固有名詞のことだったり、そういうのがすべて反響しています。そういった意味では、この一冊が野村さんの新たな「詩学マトリックス」なのかなと思います。個人的には一章のランボーとシャールのところがおもしろかったです。ルネ・シャールに関してここまでランボーと比較して語ったものは読んだ記憶がありません。なかなか目にしないようなシャール論がさりげなく提示されていて、一見地味なまま通過されるのはもったいないと思い、「現代詩年鑑2012」でも少し書きましたけれども、こういうかたちでさらに広く読まれるようになり、ほんとうによかったという気がします。

野村　とりあげていただき、大変うれしく読みました。シャールについては少し傾倒していた時期があり、書いておこうと思ったんですね。シャールの翻訳をしてみたいという思いはずっと前からありまして、実は訳稿がけっこうたまっているんです。

杉本　ランボーについては、『ランボー・横断する詩学』の一冊でもうやりきったという感じでしょうか。

野村　そうですね。ただ、最近は専門的なランボー研究者はいるんですけど、ランボーを全身的に受けとめる人はなかなかいなくなってちょっと残念な気がしています。詩を書いているもっとそこいらの人にランボーを全身的に受けとめ、書いてほしいと思いますが。

杉本　あとそれから『移動と律動と眩暈と』の題名にからめてですが、「移動」「律動」「眩暈」これら三単語は、野村さんの詩と詩論を系統だてて読んできた者にはある程度ピンとくる、腑に落ちるタームなわけですが、ごく一般的な読者に向けて、いまこれら三単語をあらためてわかりやすく定義づけるとすると、どんなふうになるのか、一読者としてもちょっと興味ありますので、ぜひお願いしたいのですが。

野村　言わずもがなことですけど、ヴァレリーは、「詩と抽象的思考」というエッセイのなかでしたか、散文を歩行に、詩を舞踊にたとえていますね。ただ、舞踊といっても、ヴァレリーの頭のなかにあったのはおそらく西洋の古典的なバレエのイメージ、つまりバレエというのはこう、くるくるとまわりますね、あの回転のイメージだと思うんです。そして回転を意味する語形要素 ver は、そのまま韻文詩句 vers のことでもあります。詩句もまた韻律によって回転、あるいは回折しますからね。ところで、ヴァレリーは言っていないと思いますが、ver は眩暈 vertige にも通じているんですね。そこでぼくは、歩行をより広く移動と言い換え、舞踊をより過激に眩暈と言い換え、さらにそのあいだに律動をおくことによって、まあえらそうに言えばヴァレリーの図式を脱構築したくなった。というのも、歩行だって律動があれば詩だし、詩もただの回転、回折とは捉えたくない。すべてを渦動させ無化する眩暈にまで至りたい。まあそういうコンセプトもこめて、タイトルを「移動と律動と眩暈と」にしました。移動はもちろん、隣接諸ジャンルを経めぐることでもあり、また地理的な移動、つまり旅のことでもあります。

別の観点から言えば、変なたとえですけど、このあいだ、老父を見舞ったんですね。病院全体にかすかな糞臭がただよっている。医療によって引き延ばされた生の最終段階をなお生きている老人たちがたくさんいて、そのあいだをすすみ、ようやく父のベッドに到達します。なんという到達でしょうか。欲望もなく、喜びもなく。しかしまあそのおかげで、逆に詩の行為というものが浮かびあがるようでした。詩もまたある場所に至り着こうとすることですが、つまり移動ですが、しかしそれには欲望がともなう。なぜなら、その場所とは、すでに到来してしまった言語活動の場所ではなく、むしろ場所のなかの場所と言ったらいいのでしょうか、そこで詩人は、より本源的な根拠としての言の葉のそよぎの生起そのものを、あるいは律動そのものを、まあいわば愛として経験したいわけなんですね。

そのとき、眩暈が訪れる。

旅という習い性

杉本　『移動と律動と眩暈と』は詩と隣接する領域との共鳴がほんとうに見事ですよね。これだけ多ジャンルにおいて、詩というスタンスを崩さずに詩の模索、詩なるものの発見をなしていくのは、なかなかできそうでできないと思います。野村さんでなければ難しい仕事だという気がします。たとえば荒川修作について書かれた「原母頌」がおもしろくて、これも金子光晴的なメトニミー的な、離脱していく身体という問題と、かぶってくる。荒川修作の「ランボーは歩きながら書いたのでしょうか」という問いへの答えとしても興味深かったですね。野村さんご自身が、歩きながら書くことってあるんですか。

野村　ここ数年、鈴村和成さんといっしょに金子光晴の足跡をたどって世界中を歩くということをしていたんですね。そのときはまさに歩きながら書きます。金子光晴の訪れたところ、たとえばマレーシアのバトバハなんかに行って、そのへんの景色を見ながら、そして街を歩きながら書く。ほんとうに歩きながら書くので、交通事故に遭いそうになったことが数回あります。命がけです（笑）。

杉本　それはそれは……。どうか気をつけてください（笑）。私は歩きながらは書けないな。この本の「リスボン（泡の（永劫——」も詩になりかかっているような文章ですが、リスボンでも歩きながら書いたのではないかと思いました。

野村　リスボンでも多少歩きながら書きましたね。フェルナンド・ペソアがおもしろくて一時期ちょっとはまっていました。

杉本　『移動と律動と眩暈と』の朔太郎についての文章は、『萩原朔太郎』のレジュメのようなものとして受けとれますし、このペソアについての文章も、『風の配分』の要素がふくまれているという気がします。『風の配分』を今後さらに直接受けとめていくというような詩的展開は、ありえるでしょうか。

野村　先ほどの話ともつながりますが、『風の配分』は百近い断章に分かれていて、そのなかに自分のそれからの仕事の核になるようなものを種子のようにしてばら撒いたという感じがしているんです。まさに風まかせですが、風まかせにばら撒いて、そのばら撒いた種子からそのあとの詩集や詩論が生えてきた感じもあります。ただ同時に、『風の配分』はある種の紀行文ですから、その土地との交感のなかでしか書けなかったものもありますね。言い換えれば一回的と言いますか、そこは微妙なところですけれども。それほどテーマを重く設定して書いたわけではなくて、それこそ泡みたいにふわふわした感じ。その場の空気感は多分に入っていると思います。

杉本　たとえば、『風の配分』のなかのモロッコの描写なんかはきわめて美しいですよ。野村さんはほんとうによく旅をされていますね。

野村　結果的にそうなっている感じです。ほんとうにそれは結果でしかないんです。とくにどこに行きたくて行ったということではないんですね。海外の場合は詩祭に招かれたりとか、文章を書くためにやむなくとか、そういう場合が多いですね。金子光晴の足跡をたどるだけでもかなりたくさんの場所へ行きました。ただ、習い性と言うんでしょうか、ある時期から移動していないとかえって落ち着かないような、妙な気分に襲われることがあります。

杉本　いちばん最近行かれたのはどこですか。

野村　アメリカですね。英訳詩集の刊行を記念した朗読ツアーで行ってきました。今年の夏はスロベニアに行きます。詩祭に招かれて行くんですけれども、その詩祭のタイトルがいいんです。「詩とワインの日々」(笑)。

杉本　詩と酒とバラの日々（笑）。

野村　スロベニアというのは小さな国ですが、ワインの産地らしいんですね。まあ、どんな国でもけっきょく最後はいい思い出になります。不思議なものです。詩祭ということでは、白石かずこさんや吉増剛造さん、それから谷川俊太郎さんといった大先輩がよく招かれていますが、ぼくと同世代ではほかにあまりいない気がします。少し下の世代であれば、四元康祐さんがいろいろなところに行かれているようですね。ある程度の期間、自由に家をあけられる人が少ないのかもしれません。アイオワの国際ライティングプログラムにしても、向こうから推薦してくれとよく言われるんですが、四か月まるまる家をあけるとなると難しい。どうしても小説家を推薦することになってしまいがちです。

杉本　うーん、それは実に実にもったいないな……。なんとかしなくては（笑）。でもこの本のアイオワの滞在記もほんとうにおもしろいです。詩祭というのは、おそらく朗読が中心になってくるかと思いますが、聴衆の反応なんかはいかがですか。

野村　翻訳されたテクストは何かのかたちで聴衆にはわたるんですが、朗読の場ではそんなに深く作品を読みこむということにはなりえません。言語のリズムとか響きを音楽みたいに味わっている人が多いんですね。中身はどうでもいい、と言ったら身も蓋もありませんけれども。ひとつ笑ってしまったのは、メキシコシティで朗読したときのことです。日本語でぼくは朗読したんですが、聴衆はパンフレットを見ていたので、当然ぼくの詩のスペイン語訳がそこに掲載されているのだと思っていた。読み終わったあとけっこう拍手がきて、よかったなんてことも言われて、だから意味もわかってくれたんだなと。ところが向こうのミスで実はスペイン語に訳されていなかった。英訳がそのまま載っている。聴衆はあまり英語は読めないと聞いていたので、そうすると意味ではなく、その場の雰囲気や日本語のエキゾティシズムとか、そういうもので聴衆が喜んだということがわかった。これにはちょっと笑ってしまいました。

ずぼらな自分に合っている

杉本　最近、英訳詩集『Spectacle & Pigsty』(Omnidawn)をアメリカで刊行されましたが、この本は原作者から見るとどうなのでしょうか。つまり自作が異言語の姿をまとって現れることで、新たに見えてくるものとか。

野村　この英訳詩集はちょうど賞をいただいたばかりなんです。アメリカにおける海外文学を対象とする賞で、ロチェスター大学が主催し、どうやらアマゾン・ドット・コムが賞金を出しているようです。小説部門と詩部門とふたつあり、小説部門は東欧の作家が受賞したみたいです。英訳したのは詩人のフォレスト・ガンダーさんと英文学者で英語で創作もされている吉田恭子さん。ガンダーさんはとても優れた詩人ですから英語としてのリズムが出ている。さすがだなと思いました。意味のところを吉田さんが精妙に伝えて、それを英語の詩のリズムやシンタックスに最終的に錬成したのがガンダーさんです。

杉本　具体的な書記の現場で、ご自身の詩に何か反響してくるものはありますか。

野村　何かしらあるとは思いますが、翻訳空間としておもしろいと感じたのは、微細な現象になりますけれども、冒頭の「(そして豚小屋)」の詩で、日本語では「私」という人称と「豚小屋」を併置して、「私」が「豚小屋」という場所でもありうることをほのめかしていますが、英語では「it's pigsty I」となっている。「I」の母音が重なっているんですね。そうすると「私」＝「豚小屋」というのが音の面からも強調される。日本語にはなかったことです。

杉本　なるほど。それは日本語ではきびしい。日本語でないからこその実現ですね。そこを意識するとまた異言語との交錯による究極の「日本語エクソダス」がはじまるのかもしれない。ところで野村さん特有の擬音語や擬態語はどのように訳されてますか。

野村　アングロサクソン起源の英語だと、オノマトペではないのですが、身体と密接に関連している言葉がかなり多いらしいんです。だからなるべくアングロサクソン起源の動詞をもとにした副詞によってオノマトペを訳しているみたいです。

アメリカの朗読ツアーではぼくが日本語を読み、そのあとにガンダーさんや吉田恭子さんが英訳を読んでくれた。聴いていて、たしかに音楽性を感じました。ただの、縦のものを横にした感じではなくて、ぼくの詩の日本語のリズムは、もし英語で書くとしたらこうなるというような、詩人フォレスト・ガンダーによる応答を感じましたね。だからプレスリリースにも書かれていますが、「野村は訳者に恵まれた」（笑）。そういう意味では言語から言語に詩が翻訳されるというのは逆説的な意味ですが、大変おもしろいことだと思いました。アメリカにも、というかアメリカには物好きがいて、わざわざ日本の詩人の朗読を聞きにくる人が数十人くらいいるんです（笑）。四か所で朗読をしましたが、最初に訪れたガンダーさんが勤めているブラウン大学というのは、吉増剛造さんも数年前に招かれたところです。ニューヨークでは「詩人の家」という施設で朗読しました。日本では考えられないほどの立派な施設で、朗読できるホールと会議室、それから図書室もあるビルがグラウンド・ゼロの近くにあります。お金持ちの寄付によってつくられたんだそうです。国家の援助はヨーロッパに比べて少ないかわりに、アメリカの場合は寄付文化がすごい。

杉本　うらやましいですね（笑）。「詩人の家」というのは、……なんかかわいらしい響きですが、そうですね、たとえば向こうで日本から来た詩人と紹介されると、短詩型、とくに俳句についての質問は、やはりかならずどこかで誰かから来ますか。

野村　かならず訊かれます。村上春樹とともに、松尾芭蕉は世界的に知られていますからね。で、俳句は書かないのか、と訊かれます。書かないと答えると、なぜ書かないのかと。理由はとくにないので、答えるのが難かしい。それでおおむね、つぎのように答えることにしています。俳句はいろいろと決まりがあり書きかたがあって、つまり修練が要るが、詩はそういうことがなく、ずぼらな自分に合っている。それに、あなたがたはやたら長い詩を書くから、短いものに憧れるけど、逆に自分は、「世界で一番短い詩」の国で生まれたので、長いものに憧れる。それだけだ。そう答えると、たいてい相手は腑に落ちたような顔をしますけどね。

杉本　非日常的な場で、何度かくり返して実際に声に出して読むことによって、何かつぎに書くときに返ってくるものはあるんでしょうか。

野村　たとえば吉増さんにはあるかもしれません。読んでいくうちに音韻がまた新たな言葉の列を発生させるみたいにして詩全体が膨らんでいくという、ある時期の吉増さんはそうやって詩をつくっていたと思うんです。ぼくも少しぐらいはあるような気がします。朗読しながら、この言葉からこの言葉というふうに、派生してくるものを発見する場合はあります。

詩と哲学との関係

杉本　今後、詩論のかたちで論じていこうというテーマは、何か決まってますか。

野村　とりあえずはないんですけれども、夢はあります。せっかくいろいろと勉強して金子光晴や萩原朔太郎について書いてきたので、今度は少しテーマを大きくして、詩と哲学の関係を書けたらいいなと思っています。

杉本　それはもう気配として迫っている気がしますね。

野村　朔太郎は生活破綻者であり、高等遊民であり、一見なまけもののイメージがありますが、意外にというのか、よく哲学書を読んでいるんです。そういう意味では実に勉強家です。ニーチェとかベルグソンなんかにも言及していますから、当時としては本当によく哲学書を読んでいて、詩と哲学の関係というものを彼なりに考えていたところがありました。西脇順三郎も朔太郎ほどではありませんが、ニーチェの『ツァラトゥストラ』を鞄に入れて留学に出たとかで、『旅人かへらず』は明らかにニーチェの永劫回帰説の揶揄みたいなところがあります。ニーチェひとつとっても朔太郎や西脇に何らかの影響を与えている。そういう部分をもう一度調べてみて、近代詩における詩と哲学の関係、あるいは戦後においても実存主義と戦後詩とか、あるいはポストモダニズムとぼくや杉本さんの詩の関係とか……。その核となる部分に、さっきも名前があがりましたが、シャールとハイデガー――シャールはハイデガーと友人だったんです――、それからもうひとりパウル・ツェランを入れて、この三者を結ぶ三角形を描くことによって、二十世紀における詩と哲学との関係を集約させるというふうな、そういうことはできないかなと思っています。ちょっと大それた構想ですので、実現できるかどうかわかりませんが。

杉本　以前からその断片をお聞きしていますので、それはぜひ実現していただきたいと思います。そう言えば、『存在と時間』をようやく読みとおしたとおっしゃってましたね。

野村　何回も何回も挫折してようやくです（笑）。

杉本　ランボーとシャールを比較した、今回の本の論考の延長線上にツェランをもってくるとなると、いったいどんな感じになるんでしょうか。楽しみです。シャールはランボーの直系というか、意識しているのがよくわかるんですが、ツェランはどのようにつながってくるんでしょうね。

野村　ツェランはたしかランボーの『酔いどれ船』を翻訳しているはずです。関心はあったはずです。でもタイプは違いますね。ツェランはマラルメとランボーの中間くらいという感じかな。

杉本　そう言えば、『風の配分』のシャールの故郷に降り立ったところの描写がまた、素晴らしいんですよ。

野村　風光明媚ないいところなんですよ。逆にこんな風光明媚なところで詩が書けるのかって心配になってくる（笑）。ハイデガーとシャールというのは、かたやナチズムへの加担が取り沙汰され、かたやレジスタンスの闘士、それなのにどうして友人なのだろうといぶかしく思わざるをえませんが、ただ、シャールの故郷に行ってわかったことですけれども、大地のうえに詩人が立ち、ともに生きている鳥とか虫とか、そういうものとの共生空間が形成されていく。宮沢賢治とも共通すると思いますが、そうした共生のネットワークのなかにルネ・シャールという詩人が存在している。だからその土地全体が、たとえばナチスによって脅かされると、イデオロギーや理念以前に戦う気持ちがおのずから湧き起こってくるわけですね。そういう広い意味で言うところの風土性、大地とのつながり、あるいはピュシスといったものをそこで感じました。するとやはりハイデガーと深く共感し合うところがあるはずなんです。もちろんそれを極端に進めるとファシズムにもなりかねないようなところはあるでしょうけれども。ツェランはユダヤ人だからそういうものはないかもしれませんが、少なくともハイデガーに対する尊敬の念はもっていたはずです。プラトンが哲学の敵として追放してしまった詩人を、二千数百年後にハイデガーがふたたび哲学の友として、いや哲学の核心部分に招き入れたわけですから。だからこそ、ナチズムへの加担を問いただしたかったのではないでしょうか。

杉本　ご自身には、そういった風土性みたいなものはあると思いますか。

野村　ぼくは田舎の生まれなので、しかも大地と関係が深い農家の生まれなので、そういうものはほかの人よりはあるかもしれませんね。

杉本　最初のころの詩集、いや最初にかぎらずか、わりと出てますよね。だだっ広い平野に鉄塔が立っていて、それがずっとつづいていくようなイメージ。そういう風土性は、詩を読んでいるとなんとなく伝わってきます。

野村　ありきたりな言いかたですが、そういうものにつながれている部分と、そういうものを断ち切りたい衝動のせめぎ合いというのかな。でもそうなると朔太郎から一歩も進んでいないことになる（笑）。ただ西脇順三郎の場合なんかは、むしろ晩年になればなるほど、そういう土地への回帰みたいなものが出てきますよね。

杉本　故郷の小千谷への明確な意識はかなり晩年にならないと出てこないと思いますが、うん、しかしそうですね、徐々に徐々にの回帰の志向性は濃厚です。ベースとして『旅人かへらず』のある大きな部分は、すでにして小千谷ですからね。

夢はかぎりなく

杉本　ところで野村さんは、『稲妻狩』（思潮社）のようなアフォリズム的なものはまた考えてますか。

野村　すべて朔太郎に学んでいるようなところがありますから（笑）、できればアフォリズム集も一冊書いてみたいという思いがあります。というのはシャールも基本的にはアフォリズムという形式で書いていた人ですから。朔太郎―シャールの線を自分に引っぱってくるとなると、やっぱりアフォリズムかなということになる。そして朔太郎もシャールも、ニーチェが好きでした。ニーチェと言えば、もちろんアフォリズムです。

杉本　やっぱり（笑）。アフォリズムという形式は朔太郎以降、あまり誰もやらないですね。

野村　アフォリズムと言っていいかわかりませんが、八〇年代初めに平出隆さんが『胡桃の戦意のために』という断章形式の詩集を書いたことはあります。素晴らしい詩集ですが、たぶん平出さんはシャールを意識していたと思います。北川透さんも、最近アフォリズムについてしばしば言及し、独自の書きかたで実践もされています。

杉本　野村さんの「詩学マトリックス」や「日本語エクソダス」も断章形式ですよね。あの種の詩論的断章はかなりおもしろいものになっていくという気がします。

野村　何しろ還暦になりましたから、人生の残り時間との戦いです。ある人が六十歳を迎えたときに、自分のこれからの執筆計画というのを書いてみたらしい。そうすると、それをぜんぶ実現するには百五十年くらいかかると（笑）。それはとんでもない話ですが、何かを優先させないとだめなんです。それが難しい。若いころは何かを優先させるなんてことは考えもしなかった。

　詩に関してはなんとなく考えていることがあります。ペソアにはなれませんし、ペソアのように別のペンネームは遣いませんが、何か違ったテーマ、違った書きかたで、二、三種類を並行的に書いていきたい。そしてそれを随時本にしていきたいなということがあります。単一のテーマ、単一の書きかたにはしない。まあ、著者名はぜんぶ同一の名前ですけれども（笑）。

杉本　それは入沢康夫さん的な感じですか。

野村　たしかに入沢さんに学んだところです。作品の幅が広いという意味では谷川俊太郎さんもそうですが、よりアイロニカルに自己を分裂させているという意味では入沢さんです。まあたとえば、すごいエロい野村とすごい禁欲的な野村が並行して現れるとか（笑）。それからこれは授賞式のスピーチで言ったことですけれども、近代詩のパロディーをやりたい。せっかく朔太郎を読みましたので、なんとか自分の作品に反映させたいということで、朔太郎をはじめとする近代の詩人の作品の書き換えをやってみたい。二十一世紀の、二〇一〇年代のいま、もし暮鳥や中也が生きていたらどんなふうに書くだろうか、と。

杉本　書法自体もかぎりなく接近させるということでしょうか。

野村　いろいろな書きかたを交えてやってみたいですね。パロディーもあれば、文語の原文であれば、たとえば現代語訳風に書き直すとか、アレンジしたもの、リミックスしたもの……。いろんなスタイルでやってみたいと思っています。タイトルは「近未来近代」とすでに決まっています。

杉本　そうか、そうなるとまさに、詩論家／詩人のふたりの野村喜和夫のさらに深化した融合ですね。

野村　うまくいくといいんですが（笑）。夢を語るときりがありません。今年は後半に北川健次さんとの詩画集を準備しています。私にとって初めての詩画集で、とても楽しみなのです。近年あまりそういう仕事が目立たなくなっていますよね。以前、それこそぼくらが詩を書きはじめたころは、詩人たちが美術家や音楽家と組んでいろんなコラボレーションをやっていた。諸ジャンルの結節点としての詩の行為。それがひとつの詩人のイメージにもなっていました。そういうところに憧れてぼくなんかは詩を書きはじめたところがあります。たとえば大岡信さんと加納光於さんのコラボレーションとか、吉増剛造さんと若林奮さんのコラボレーション……そういうものに対する憧れがあった。でもいつの間にか少なくなってしまった気がします。そういえば先日、世田谷美術館で駒井哲郎の回顧展をやっていたので見に行きましたが、安東次男との詩画集『からんどりえ』が展示されていて、さすがいいなと思いました。

DIALOGOS

ii　異分野アーティストを迎えて

VS 北川健次

共有する記憶の原郷に響かせる

2013.5.17

北川作品との出会い

野村 北川さんとの出会いは、ぼくが北川さんの「肖像考— Face of Rimbaud」を購入したのがきっかけです。以来、この作品を仕事部屋において少しでもランボーにあやかるべく詩を書いています。じつは、北川さんの作品だけでなく、ランボーを題材にした美術家、画家の作品は、たくさんあるんですね。ピカソやジャコメッティ、メイプルソープといった錚々たるアーティストが作品を作っていますが、その多くはぼくが思うに、ランボーの肖像をもとにしたデフォルメなんです。あるいは、線による処理と言いますか。ところが、北川作品というのは、少しニュアンスが違うと思うんです。実際、肖像自体はデフォルメされていない。フランス語で「surface」と「support」という言葉がありますが、「表面」と「支持体」といったらよいか、そういう関係そのものからランボーの肖像を処理していく。より正確にいうと、「表面」が「支持体」になり「支持体」が「表面」になるというようなところから働きかけた、絵画のデコンストラクションであると思い、ひじょうに衝撃を受けました。ランボーの肖像をベースにした北川作品には、この「肖像考— Face of Rimbaud」の他に、「STUDY

OF SKIN—Rimbaud」という作品もありますが、これもいい。ぼく自身、当時皮膚というものに関心を持っていて、まさに、皮膚が主題化されていることもこれらの作品を気に入った理由のひとつです。金子光晴を読んでいたこともありますが、金子光晴も皮膚の詩人なんですね。ヴァレリーに「人間にとってもっとも深いもの、それは皮膚である」という有名な言葉があります。まさに北川作品は、深さにおいてとらえられた皮膚という感じがしました。「肖像考—Face of Rimbaud」は、皮膚に穿孔がいくつも施されていて、穴があいているということは閉じられていないということです。皮膚が無限に向かって開かれている。そういう、たんなるランボーの肖像を超えた、皮膚の深度ともいうべきものがそこに感じられました。もうひとつ、この肖像の周囲に都市の残骸、都市の廃墟のような不思議な写真がコラージュされています。この廃墟とランボーの関係が、ランボーが最後に書いたと言われている『イリュミナシオン』の世界であると瞬時のうちに思わせられました。ランボーと言うと、いろんなイメージがありますけれども、広く一般に流布されているランボーのイメージは、早熟の天才詩人ということであり、『地獄の季節』を書いて、それを暖炉に放り投げて燃やしてしまったり、二十歳で詩をやめてアフリカに行ってしまうというような、あるいは、ヴェルレーヌとの同性愛によってスキャンダラスな事件を起こすというような、神話的伝説的な蛮童のイメージです。ところが、もうひとつのランボーのイメージというのがあって、それが『イリュミナシオン』のランボーなんですね。作品もそうですが、ランボーの生自体がひじょうに謎に満ちていて、この時期、何をしていたのかもよくわかっていない。ただロンドンにいたということがわかっていて、それをうかがわせる不思議な都市詩篇

北川健次

が何篇か書かれている。古代のような、同時に未来のような、未来の廃墟のような。その後、ランボーは文学的な沈黙に入っていくんですけれども、その直前の『イリュミナシオン』の世界というのも、すでにして沈黙に深く侵されているような言語宇宙なんです。その謎と沈黙の中に沈み込もうとしているランボーが、「肖像考― Face of Rimbaud」において、まるでひとつの逆説のように、そのままの姿で浮上してきている、そんな印象に捉えられたのが、ぼくがこの作品に感動した第三の理由です。ともあれこうして、これらの作品との出会いが最初の衝撃でした。それをきっかけに北川さんとも親しく話すようになって、いろんな話をしているうちに、ランボーを介して二人でコラボレーションをしてみたいと思うようになりまして、今回の『渦巻カフェあるいは地獄の一時間』の制作動機となりました。

北川　こうして野村さんと並んで、自分の作品について語っていただいていると、身ぐるみを剝がされていくような気がします（笑）。ぼくは、美術家なので野村さんとはランボーに対する関わりの角度が違うと思いますけど、二十歳ぐらいで銅版画をはじめて、ヴォルスの作品からまず表現主義的なものに惹かれていって、最初は、ランボーの捉えがたいカオス的なイメージを何とか版画で表現したいという角度から入っていったところがあります。だいたい四十点くらい作りました。多摩美術大学で駒井哲郎氏が先生でフランス文学にも通じていて、ランボーなどを読んでいると、ぐっと入り込んできてくれるんですね。そうした駒井さんとの関わりやランボーを通して自分の版画における文体のようなものを模索していきました。それからいくつかの変遷がありましたけれども、この作品を作った後に、ランボー研究の第一人者で知られるJEANCOLAS氏からランボーの肖像を主題とした美術作品を集めたフランスでのアンソロジー展と出版の企画の打診がありました。美術家による肖像というのは、ヴェルレーヌとかボードレールはあまりないんですけど、ランボーはモチーフとして美術家によってかなり取り組まれている。それは知っていたんですけれども、企画の着眼点としては日本の美術関係者にはおよそ着想できない切り口です。出品作家にはピカソとかジャコメッティとか、ミロなどの一流の作家がそろっている。その後のやりとりが、質問のレベルも高くて刺激的で面白くもありましたが、最終的に、自分にとってランボーはすでに客体であるという認識を伝えました。最初はランボーのイメージから入っていって、表こそ深いということの裏返しなんですけれども、次第に顔のほうに関わりを持っていくようになりました。同時に美術家として平面性に対して疑問を持ちまして、平面とはひとつの仮説だと思い至ったのです。仮説の線上にイメージをひっかける、ひじょうに危ういものであるという意識で銅版画を作っていた。そこで必然的に皮膚論的なことが立ち上がってきました。イメージを皮膚化する試みという主題のモチーフとしてランボーを作品化することをやっていて、皮膚論で知られる美学の谷川渥さんにテキストを書いてもらっています。その後に、美術家のジム・ダインと会う機会がありました。ひとつの目標としていた人物に会えたんですけれども、そのときに彼が言うには、「自分はランボーのあの生意気な面《つら》にインスパイアされたんだ」と言うんです。言っていることは簡単なんですけど、それでいて、現代の最高水準のアルチュール・ランボーの肖像を彼は描いている。ランボーの人生とだんだん重なっていって、ゼロになっていくような版画の連作です。それからマックス・エルンスト。彼のランボーの作品は、銅版画史上、最高傑作のひとつなんですけれども、ナルシスティックに自分を見者として見立てているんですね。自分の肖像とランボーの肖像を重ねています。その結果、かなり自分に引き寄せているところがある。この作家も目標としていた一人で、彼らと並んで自分の作品がランボーミュージアムで展示されるというのは貴重な体験でした。自分の水準を具体的に確認できる最高の舞台をJEANCOLAS氏は、与えてくれました。

ランボーにはじまり、ランボーに終わる

北川　最初にランボーに出会ったときは、黒曜石のように硬質で、きらびやかなまでにイメージが豊饒で、西洋的なヴィジョンを自分のものにする対象として恰好の素材でした。訳は、堀口大學と小林秀雄を文庫本で読んでいまして、堀口大學のほうが入りやすかったかなと思います。ランボーの詩の中で例えば、堀口さんは、「銅版画」と具体的に訳し、小林秀雄は、「版画」とだけ訳している。ちょっとした違いだけれども、伝わってくるイメージにかなり差異がある。小林秀雄というのは主観のかたまりのような人ですけれども、そのあたりを比較していると意外と堀口さんのほうが捉えていけるかなという感じでした。今は銅版画は自分の中で幕引きなんですけれども、ランボーにはじまりランボーに終わったという気がします。銅版画の作品のはじまりがランボーだったわけですが、最後の作品もランボーなんですね。これほど深く関わるとは思いませんでしたけれども。そういう意味では、野村さんとの詩画集も、ひじょうにいい時期にひとつの区切りになったような気がします。

野村さんは、如何ですか。

野村　恥ずかしいですね。今でもランボーを読んでいると言うと、いい加減目を覚ませということをしばしば言われます。つまり、ランボーというのは、青春の文学であって、ある程度馬齢を重ねたら、ボードレールあたりにうつるのが自然なのかと思いますけれども、相変わらずランボーにとらえられたままこの歳まできてしまったという。何度読み返しても、次から次へと芋づる式に謎が謎を呼ぶようで読み終わらないんですよね。ぼくの詩作の歴史とランボーを読んできた歴史は本当にパラレルです。ちょうど四十年くらいになりますね。

北川　野村さんの詩作への姿勢を拝見していて、少し似ていると思うのは、つねに動いていくところですね。その生きざまには、共感を覚えます。

野村　ただ、やっぱり言語によるイメージ創出というのは、長いことそれだけに集中していると枯渇していきます。そのときに、たまたま北川作品に出会ったりして、いいヒントをもらったことがありました。いや、それだけではありません。じつは何度か北川さんの美術教室にお邪魔していくつかコラージュやオブジェの技法を教えてもらったことがあるんですが、デカルコマニーなんか面白かったですね。そうやって教わったりしているうちに、自分一人では発想できなかったようなイメージがひとつふたつ、あるいはもっとかもしれませんが、自分の中で出てきたんですね。自前の言語的想像力だけでは絶対出てこなかったようなものが、全然別のジャンルの作品や素材、マチエールの扱い方によって引き出されるというのは、ぼくにとってひじょうに得難い新鮮な経験でした。そうやって何篇も詩を作っていますし、これはもっと徹底的にやったらいいのではないかと思ったことも、今度の詩画集のきっかけになりました。

北川　三島由紀夫が、スランプというのは、けして芸術用語ではなくて体育生理学用語だと言っています。走って汗をかけば治っているようなものがスランプだと。自分の場合は、銅版画だけという構造的にずっと同じことをやっていると、表現の結果までが見えてくるんですね。そうすると、自分の中の内的な緊張関係をもっと揺さぶりたくなり、それで三十代すぎてからでしょうか、オブジェを作りはじめて、写真、評論と幅を広げていったんですね。

野村　北川作品も、言ってしまえば、いろんな映像なりマチエールなり、そういうものの出会いの場ですよね。いくつかの空間が層になって、とりあえず二次元の中に収まるんだけれども、じつは偽の二次元を仕掛ける。

北川　整合的なシンタックスを崩していくやり方です。コラージュなどでも三つの要素が絡まっていると不協和音が発生してくる。わかりやすい例でいくと、海外に二人で行くと何とか収まりますけど、三人で行くと争いが起こって二対一になったりする（笑）。物語が発生する最低原基が三だと思いますね。求心的に調和していくのと、反対のヴェクトルの不協和音、その揺れの状態が見る人の想像力をかき立てる。現代詩のほうも、並走する異なった文脈の中でこすれあって、何か作者の語り得ぬものを立ち上げようというのが今の詩のあり方かなと思いますけれども、そういう方向へと来たのは、いつ頃からなのでしょうか。吉岡実さんあたりは、引用とオリジナルの問題を扱われながら、一方に抒情的なものも確かにあって、ただ、あのあたりから文脈が崩れてきたのかなと思うのですが。

野村　そうですね。吉岡さんの引用の織物みたいなあり方が一元的な文脈をある方向に解体していくきっかけになったことは確かでしょう。それは、吉岡実だけではなくて他にも多くの詩人たちがほとんど、おそらく世界同時的に試みはじめたことで、それがいわゆるポストモダンとも言えますよね。ポストモダン的芸術行為が何かの上に何かを付け加えて別のものにしていくことであるとするなら、主体的に発話された内容に他者の言語をつないでいくという詩作のあり方もまさにポストモダン的であり、しかも世界同時的であると言えるのではないでしょうか。吉岡さんは、それをより鮮やかに切り取ってみせたということはありますね。北川さんにも、通じるところでしょう。

共通する意識

北川　ぼくは、美術の人間ですが、基本的に美術の流れからは自由ですね。むしろ方法論的には野村さんとも近い気がします。何か、ある感覚が最初に立ち上がりインスパイアされて、次にそれを切断していくんだけど、シンタックスを踏まずに、そこから積算的な強度なものになっていく。さらにやっていくと、一+一が三にも四にもなる。作者とは何かと考えたときに、基本的には開かれた存在であって、例えば、コラージュを作っていて思うのは、作者自身は、作者というよりも観者としての客観的な面白さがある。

野村さんと、どういうときに詩を書くんですかというお話をすることがあって、午前中に電話するとたいてい犬の散歩に出かけていて優雅な生活をしていらっしゃるんだけど（笑）、実際には、そのときに詩をかなり立ち上げているとうかがいました。ぼくなんかは、場合によっては、一日に三点くらい作るときがあります。それは速度としては早いほうなんですが、コラージュというのはそういうもので、マックス・エルンストは、百点から成るコラージュの連作『百頭女』を、ローマに旅行しているときに作ったそうです。これは、ぼくは舞台裏がわかりますので、嘘だと思うんですけど、そういう図版に使える材料って相当量がいるんですよ。それを持って旅に出られるはずがない（笑）。彼は、自分を伝説化するのが好きな作家で、ぼくはそういう神話化は好きなので、この嘘は信じてもいいかな、と。ただ、そのくらいにコラージュというのは瞬間定着術みたいな要素が大きい。何か今できるなとたぐり寄せながら、予定調和的にやるんじゃなくて渾沌のままに不協和音を奏でながらやる。何かのはずみで逃げちゃうこともある。そういうときは、無理して作らないようにしているんです。放置しておいて、五七五の五七までいって、次なる閃きを待つというか。そして、ある瞬間に最後の五のイメージが立ち上がる。しかし、それでも摑めぬままに逃げられてしまうことがある。だから、野村さんの散歩と、その「逃げる」というのが、似ている気がします。

野村　ぼくは、毎日のように詩に逃げられている感覚があるんですよね。いつも地団駄踏んでいるんですけど（笑）。ぼくが自分でも一番素晴らしいと感じるフレーズは、歩いているときに閃くんですよね。でも、捕獲しようとすると、そのそばから逃げてしまうんです。だから、紙に定着されているぼくの詩は、それに比べると二番手くらい（笑）。それが一番の悩みですね。どうしたら、あの素晴らしいフレーズを捕獲し、紙の上に定着できるのかというのが生涯のテーマでして、そうしたら、似たようなことをフェルナンド・ペソアもある断章の中で書いているんです。散歩の途中で私は素晴らしい詩句をいくつも作った、だが帰宅して書き留めようとすると、まるで思い出せない、みたいな。

あの大詩人が言うんだから、詩作というのはそういうものなんだ、と。

北川　もともと語り得るものと語り得ないものがあって、詩の場合は、本来は語り得ぬものを語れる構造で書くという、ひじょうに矛盾しているところがありますよね。美術の側で言えば、以前に大英博物館で見せてもらったミケランジェロのデッサンで「最後の審判」のファーストヴァージョンを見ると、可視の極のようなものが彼の中には見えていたはずなんだけれども、それがやってきた瞬間に、捕獲するように捉えているんですね。それを見ると彼の中では、逃げ去っていくものを何とか絡めとろうとしている、そのヴィジョンの壮大さは本当に凄まじいものがあると感じました。野村さんも、散歩の前に、じつはかなり作り始めているんですよね、作業は始まっている。例えば、私が以前に書いた『絵画の迷宮』という本の中でダ・ヴィンチのことを推理したときも、どうしてもつながらなかったものが、夢の中で結びついたことがありました。意識を集中しても結びつかないものが、眠りに入ったときに結びつくことがある。作ることの本質は潜在的なものですよね。二年前に『サン・ラザールの着色された夜のために』というタイトルの写真集を出しまして、じつはそこに写真ごとに自分で詩を書いています。今回の展示では、各々の写真に野村さんにも詩をつけてもらおう、と提案しました。そうすると、野村さんと自分の違いと言いますか、発想がよくわかる。あれは今まで誰もやっていない面白い試みでしたね。

野村　やってみてわかったんですが、建物だけの写真作品が何点かありまして、それに詩をつけるのはひじょうに難しかったですね。人物や何か人間的な表象が入っている写真は、わりと詩がつけやすいんですけど、ちょっと途方に暮れました。

北川　野村さんの着想法のひとつとして、一種の現場主義と言いますか、ある部分の見立てから有機的なものがふくらんで一気に連鎖していくのがある。

野村　マネキンの並んでいる作品がありますが、あれは詩をつけやすかったですね。あれは、マネキンを娼婦に見立てて、男二人の会話に仕立てたものなんですが、じつは引用なんです。「男A　俺、娼婦とはまだ一度も寝たことないよ　男B　そんな罰当たりなこと言うな　男A　どういうことだ　男B　だって売春宿というのはまぎれもなくひとつの教会だろうが」。Aは、アンドレ・ブルトンです。彼はいろんな女性と付き合いましたけれども、生涯、売春婦は買わなかったらしいんですね。変にストイックなところがある。自由恋愛、自由な男女同士の結合でないといけないというところがありました。Bは、バタイユです。売春宿を教会に見立てるなんて、まさにバタイユの面目躍如という感じですけど。

北川　今回の写真と詩を併せた展示の試みは、ひじょうに手応えがありました。資質の反映だと思いますけれども、フェティッシュな想像力がそこに絡んできますよね。

『渦巻カフェあるいは地獄の一時間』

北川　「名作のアニマ――駒井哲郎・池田満寿夫・北川健次によるポエジーの饗宴」という展覧会が不忍画廊で六月に開催されます。西脇順三郎と池田満寿夫の共作で、『トラベラーズ・ジョイ』という詩画集がありまして、とても純度の高い文学性が融合した、エッセンスの豊かなものです。駒井さんには安東次男さんと組んだ詩画集がありますが、駒井さんという人はかなり読み込んでいくので、時間がかかるんですね。大変筆の遅い人でしたが、池田さんは逆に二、三週間で集中的に作っていく。ぼくも、これまでいくつか詩画集には関わってきたんですけれども、批評眼と創造性との両方から攻めていって、一＋一が三になるようでないと意味がない。文学的とか、つまり「的」という曖昧なものが嫌いなんです。だいたい画家のほうが遠慮してか、明確な存在理由のない挿絵になってしまって、逆に言語空間をせばめているのが多い。その点、批評意識をもって接するべきだろう、と。昔、同人誌をやっていたんですけど、どうしても予定調和なものを感じてしまって、僅か三号でやめました。その後に、ぼくの企画でやった、詩人高柳誠氏と三人の画家、ぼくと、建石修志、小林健二による三分冊の詩画集があります。どうして一対一なのか、一人対三人でも面白いのではないかと思って、それで高柳氏に提案して、ぼくを含む三人の画家と組んでやりました。この本は歴程賞を受賞しています。

今回の詩画集は、前半はぼくの作品を受けて野村さんが詩を書かれている。後半は、野村さんの詩を受けてぼくが写真を主体としてやっている。あまり読み込みすぎちゃうと、解釈に陥ってしまう。だから、一回目は、客観的に流して読んで、二回目は、集中的にひっかけながら読む。あとは、時間をおいて、さあ作ろうという高まったときに一気に作ってしまう。その結果、ぶつかり合いとしては、緊張感のあるものができたのではないかと思います。

野村　不思議な世界が立ち上がっている気がします。まず、横書きの「渦巻カフェあるいはA・Rの正しい狂気」からいきますと、もちろん、A・Rはアルチュール・ランボーで、その青かったといわれる眼がぼくの詩で言及され、「サハラの青」につなげていますが、それがさらに、北川さんの写真作品全体を貫いている青の基調にも通じていくようです。しかし個々のページでは、北川作品とぼくの詩は微妙にずれていて、かと思うとまたどこかで出会ったりしている。ぼくの作品が先で、距離を作ったのは北川さんですが、この距離を作っていただいてよかったなと思います。あんまり寄り添いすぎていると、かえってコラボレーションとして面白くない。そもそもコラボレーションというのは、詩と美術の場合は、言語表現と造形表現との闘争的な共存であるべきで、本文と挿絵、あるいは作品とキャプションという関係では全くない。縦書きの「渦巻カフェあるいは地獄の一時間」は、言うまでもなくダンテの『神曲　地獄篇』とランボーの『地獄の季節』がふまえられています。できあがっている北川作品を見て、ぼくが書いた作品なので、どんな距離ができているかわかりませんけれども、とにかくその距離を楽しんでいただけるといいですね。

北川　ぼくの中では、ランボーはひとつ終わって、来年の展覧会では、ダンテをやろうと思っています。美術の世界も詩の世界も衰弱していく状況がありますが、かつては例えば、ダンテの『神曲』という難題に果敢に挑んでいる画家が時代を隔てながらも何人かいた。ドラクロワ、ラウシェンバーグ、ボッティチェリ……。しかし今ではほとんどいない。むしろ今の状況の中でダンテの世界観が孕む、その渾沌たるものを、この時代に絡ませたい。今回の詩画集も、カオスの結晶したものを立ち上げたい。

野村　それは、楽しみですね。すでにダンテの世界ですよね。「渦巻カフェあるいは地獄の一時間」というのは、まさに北川作品を見て書いたんですが、実際に一時間ぐらい、わが内密の地獄の小部屋を見て歩いているという感じでした。そこではマチエールと人とが分ちがたく絡み合い、カフカ的という感じもしました。それ以上に、参照するならダンテの地獄篇だなと思うくらい、すでにその雰囲気が入っていますよね、北川作品のなかには。

北川　人間の想像力、感性には、じつに不思議なものが潜んでいます。実際の体験じゃないんだけれども、何か共通の、記憶の原郷といったものを私たちは共有している。野村さんの詩と私のヴィジュアルを絡ませて、そこから立ち上がってくるものを楽しんでいただきたいですね。

＊本稿は、二〇一三年五月十七日、茅場町・森岡書店にて行われた「野村喜和夫・北川健次詩画集刊行記念展『渦巻カフェあるいは地獄の一時間』（会期＝五月十三日〜十八日）での対談を再構成したものです。

VS 篠田昌伸　ゲスト＝四元康祐

〈詩と音楽のあいだ〉をめぐって

2017.11.4

＊バックでブーレーズの「主なき槌」が流れている。

野村　篠田さんは少壮の現代音楽の作曲家なんですが、ぼくから見て篠田さんの特異な点は、いろんな曲を作曲されているんですが、現代詩をベースにした曲がけっこう多いんです。そこが非常にユニークです。今日は詩と音楽の関係を巡って篠田さんにお聞きしながらトークを進めていきたいと思います。いまかかっている音楽はブーレーズの「ル・マルトー・サン・メートル」という声楽曲で、現代音楽の古典と言っていいと思いますが、なぜこれを流したかと言いますと、ぼくにとって詩と音楽というと真先に思いつくのがこのブーレーズの「ル・マルトー・サン・メートル」なんです。これはもともとはフランスの大詩人ルネ・シャールの詩集のタイトルで、ぼくもルネ・シャールについて研究したことがあるので、真先にこれが頭に浮かぶんです。それでイントロダクションとしてこの曲を流しました。「ル・マルトー・サン・メートル」というのは、日本語に訳すと「主のないハンマー」と言いますか、つまりハンマーが自分で自律的に動くという、いかにもシュルレアリスム的なタイトルです。そう、ルネ・シャールはシュルレアリスムから出発しています。それにインスパイヤされてブーレーズはこの曲を書いた。

さて、これから篠田さんと詩と音楽についていろいろと話していこうと思うんですが、なにはさておきぼくが篠田さんに聞きたいのは、どうしてここまで現代詩に向き合われているのかという非常に素朴な質問なんですけれども、その辺りのことから語っていただけませんか。

篠田　現代詩ということですが、野村さんの「街の衣のいちまい下の虹は蛇だ」をあるイベントで使わせていただいたのが、ぼくの中ではテキストを使った二曲目の作曲であって、一番最初は谷川俊太郎さんの「定義」でした。現代音楽を作る側から見て現代詩はあまり使われていないという状況を最初に「定義」を使った時点でも思っていまして、それが使われない理由もよくわかっていて、どういうことかと言うと、現代音楽に関しては作曲するということは音を作ることであって、詩がけっこう邪魔なんですね。ブーレーズの例もありますように、こういう詩を使ってこの意味だ、というのは聴く体験とは別次元で頭で理解して、それとまた音楽は別で、音楽を聴くときには音だけを聴いてほしいと作曲家は皆思っているんです。多くの曲は詩にインスパイヤされたと言ってもその詩を前面に出すのではなくてそれを自分の中で作り変えて作品化するというのが当り前で、そこまでしないと作曲ではないということだと思うんです。しかし「定義」という詩に音をつけてみたときに、おやっと思いまして、詩だけで十分面白いと自分で思ったことがあったんです。詩がそもそも音楽的。「定義」が音楽的かどうかわからないですが、あれは散文詩ですけど、読んで面白いというか聴いて面白いというか、わりと普通に面白いなと思った。むしろ現代音楽の状況にこれを入れることは逆に新しいんじゃないかと思って始め

篠田昌伸

たんです。あえて詩を前面に出すことによって、自分を引っ込めるのではないですけど、自分で作り変えたものではなく、元の詩を活かして作る。それで詩をいろいろ読むようになりました。それからもずっと素材としてテキストを使うときは割と新しい詩を使うようにしています。もう十年ぐらい経つんですが、同じような人が全然現れてこない、ぼくの周りにいないですね。

野村　古典的な例ですけど、ドビュッシーがマラルメの「牧神の午後」に曲をつけたわけですけど、あれは純粋な器楽曲ですが、音の印象がマラルメの「牧神の午後」の雰囲気を濃厚に伝えるというだけで、全然別個のものですよね。そういうケースはかなりある。

篠田　それがむしろ正統かなと思います。

野村　ですからぼくらも「牧神の午後への前奏曲」を聴くときには純粋にその音楽を聴くわけで、ここがマラルメの詩のここを思わせるなんてことは考えない。それが一般的な例だとすると、篠田さんのケースはやはり非常に特異な、希有なものだと思うんです。普通の言葉で言うと、篠田さんは現代詩に「造詣が深い」。初めて篠田さんとお会いしたとき、それはぼくの詩に曲をつけて下さった二曲目「平安ステークス」の初演が山口県で行われたときだったのですが、帰りの電車の中で随分長くお話しすることができたんですが、そのときに篠田さんは群馬の前橋の出身であるということをおっしゃったんです。ぴんときた、これは朔太郎の縁だなと。群馬は詩人が生まれやすい国とか言われているんですよね。勝手に群馬が町おこしに使っているんですけど。しかし半分本気でいえば、おそらく朔太郎が発した詩の波動が篠田さんのところにも届いたと思うんです。

篠田　そういうことにしておいて下さい（笑）。

野村　篠田さんが選んで下さった作品、とくにぼくの作品に限って言いますと、とても変な、こんなの作曲に向くのかという変な詩が多いんです。これも篠田さんにお聞きしたいと思っていたんですが、普通に我々が合唱曲あるいは歌曲というイメージで考えると、そこに使われる詩の言葉はわりと分かりやすくて歌いやすくて一般受けのする、そういうテキストが多いと思うんです。日本の音楽のシーンではたとえば武満徹と谷川俊太郎、一柳慧と大岡信などのコラボレーションがありましたが、そういう場合に使われる谷川さんや大岡さんの詩は分かりやすいシンプルな詩が多い気がするんです。最近の例ですと和合亮一さんと新実徳英さんのコラボレーションとか、これも和合さんの詩は一般向けの非常に分かりやすい詩ですから、それに比べると篠田さんは圧倒的に変なテキストを選ばれてますよね。とくにぼくの「街の衣のいちまい下の虹は蛇だ」、今から十数年前に刊行した本なんですけど、これを読んでくれたある人が、「二十一世紀の奇書だね」と言ったんです。そのぐらい変な詩集なんですね。二番目に選んでくれた「平安ステークス」は競馬に取材した詩で、どう考えても変な詩なんです。しかもどちらも長い。長篇詩なんです。今度またぼくの詩を取り上げてくれて、その初演がなんとクリスマスイブにあるんですが、それも「この世の果ての代数学」という変な詩なんです。それから朝吹亮二さんの「opus」も難しい詩ですし、なぜそういう詩を選ばれるんですか。

篠田　書かなくてはいけない状況が毎回違うということもありますが、今回のは去年の詩集ですよね。野村さんの詩につけるのはけっこう久しぶりです。全部読んでいるわけではないですが、野村さんの詩集は長い詩の本と短い詩を集めた詩集を交互に出されている。長い詩の方につけていることになると思います。詩集自体で構成ができあがっている。その一パートである「この世の果ての代数学」を全部やることにした。ほかの部分の言葉も使われているので全体の「コンセプトアルバム」になっていると思います。音楽のコンセプチュアルな組曲にしやすいところがあるんです。こちらがコンセプトを作らなくても乗っかってしまって、というところがありまして。

野村　逆説的な意味かもしれませんがかえって作曲しやすいということがあるんですか。

篠田　そうなんです。大きな中のここはこんな感じというふうに、最初から組み上げて作る場合には野村さんのような詩がすごくやりやすい。

野村　それはとても光栄で嬉しいことなんですけど、そういう事情もあるんですね。それでは個別に時系列的に話をしましょうか。「街の衣のいちまい下の虹は蛇だ」が取り上げていただいた第一作ですので、まずそれからお話をうかがいたいと思いますが、まずぼくが朗読しましょうか。

街の、衣の、
いちまい、下の、
虹は、蛇だ、
街の、衣の、
いちまい、〈meta〉の、
虹は、蛇だ、
かすか、呼気、カーブして、
青く、呼気、カーブして、
わたくしは、葉に、揉まるる、
葉は、水に、揉まるる、　　　　**（以下略）**

＊ここで四元康祐さん登場

野村　今日はサプライズを一つ用意していたんですが意外に早くそれをご披露することになりました。たった今ミュンヘンから四元康祐さんが来てくれました。
四元　どうも。ちょっと新宿で寄り道をしてしまいまして。
野村　篠田さんは四元さんの「言語ジャック」という摩訶不思議な作品にも作曲をされています。その再演も近くあります。そしてクリスマスイブの日にぼくの新しい曲が初演される。
四元 奇遇ですね。
野村 奇遇なんです。
四元 篠田さん、はじめまして。
篠田 はじめまして。びっくりしました。いらっしゃることを教えてくれなくて。
野村 サプライズのつもりだったので。
四元 この日のためにミュンヘンから馳せ参じました。
野村 初対面というのはびっくりしますね。
四元 そうね。作品とか資料とかたくさん送って下さいましたけど。お会いする機会がなくて。初演はいつでしたっけ。
篠田 今年の一月です。
野村 いろいろ四元さんの感想とかお話をうかがっていきたいと思うんですが、とりあえずこの「街の衣のいちまい下の虹は蛇だ」という曲をかけていただけますか。

＊曲「街の衣のいちまい下の虹は蛇だ」の冒頭五分ほどを流す

野村 いまお聴きいただきましたが、いかがでしたか。
篠田 懐かしいですね。詩集のページを見る目の感じをそのまま音にしたのかなという気がしないでもない。
野村 ただですね、これはぼくの素人の素朴な感想なんですが、詩を書いているときは紙もしくはパソコンの画面に向かって、二次元的なものに向き合って書いている、つまりあくまでもこれは平面の文字列というにすぎないんですが、篠田さんの作曲によって音が立ち上がってくると平面の文字列がにわかに立体化されて、多声、ポリフォニックな空間に化していって、原詩を書いた人間にとってはとても新鮮な経験をしたような、自分の詩が立体化されて聴こえてくる、オペラみたいにたくさんの複合的な声の集まりや流れとして響いてくる。とても書き手冥利につきると言いますか、二次元の人間が三次元の世界を与えられたみたいだと、そんな感想を持ちました。言い換えると、詩を書くというのはどこまでいっても未完の行為なんだという感じがしました。篠田さんに作曲していただいて次元が一つ上がったと言いますか、テクストの状態はいい意味でも悪い意味でも未完なんだと思いました。四元さんは自分の作曲された「言語ジャック」を聴いたときどんな感想を持ちましたか。

四元　今聴いたこれはすごくいいと思いました。「言語ジャック」も面白かったんだけれども、いまの演奏で唤いてうたっていた人は声楽の人じゃないでしょ。あの人はどういう人なんですか。

野村　巻上公一さんです。

篠田　この曲は横浜のみなとみらいホールの企画で作ったもので、声を主体にしたものを作って下さいということ以外に、「ヒカシュー」という、みなさんご存じかどうかわかりませんが、八〇年代にボイスパフォーマンスをやったグループですが……

四元　覚えている。

篠田　その巻上公一さんという人がいらっしゃって、それからプロのヴォックスマーナというアンサンブルがいて、それに加えて横浜市が巻上さんに教えを請いたい人を公募して集めたんですね。

四元　果敢に、ちょっと音楽がつきそうもないような過激な現代詩に曲をつけて下さる方はたくさんいて、いまおっしゃったようなポリフォニックなところとか肉体性とか良い部分があるんだけど、あえて苦言を呈すると、みんなうたっている人の人格がすごく真面目な感じがするんです。たしかに曲は多声的なんだけれど、詩人のいい加減さとか嫌らしさとかユーモアとかエロとか、そういうものがもっと歌い方そのものに入ってきてほしいんです。今のはそれがソロ歌唱の部分にすごくあって、バックでうたっている人たちは真面目そうでしたが、そのコントラストがすごく面白かった。

野村 巻上さんが朗唱していた部分は、こんなことは言いにくいですけど、レイプされる女の語りの部分なんです。だからそれ自体エロなんですけど。

四元 そこのところを脱皮できたらと思ってしまうんですけどね。

野村 「言語ジャック」もエロとユーモアに満ちていますからね。

四元 ぼくの場合はユーモアと若干のエロでしょ。

野村 若干どころではないでしょう（笑）。

四元 ところがそういう言葉が曲になって、コンサートの初演の様子をビデオとかユーチューブとかで送っていただくと、みんな白いブラウスでそろえて優等生然としているのが、ちょっともどかしいんですよ。

野村 それはでも、難題かもしれませんね。

四元 現代詩の場合はジャンルを超越しているわけでしょ。なんでもありで、いわばどんな声の出し方をしてもいいわけじゃない？　篠田さんがやっている音楽だと基本的にはうたう人はきちんとしていなくちゃいけないの？　浪曲みたいな声の出し方をする人とか昔の矢野顕子みたいに鼻でうたう人とか、そういうのがあったらいいのかなあという気がする。

篠田 もちろん、そうですね。

野村 これはクラシックということになるから？

篠田 現代音楽というとどうしてもそういう形にはなるんです。コントロールできなくなるんで。

四元 後から入ってきてからんで恐縮ですけど、現代詩はジャンルを壊すとかジャンルを超越するとか、自分の領域を常に更新するということが最大のテーゼとして与えられている。ところがそれが現代音楽となると現代詩のほうから変なものを取り入れてはくるんだけれど、最終的な作品としては現代音楽というジャンルのなかにきっちりと収まっている、みたいな印象があるんです。

野村　それは否めないですね。今日冒頭でピエール・ブーレーズの「ル・マルトー・サン・メートル」を流したんですけど、それもそういう感じですし、それからぼくがちょっと違和感をもったのはイギリスのベンジャミン・ブリテンという二十世紀の作曲家がランボーの「イリュミナシオン」に曲をつけたんですが、それもランボーのテクストをよく知って読んでいる者にとってはうまく言えないけどちょっと違和感があるんです。ランボーの混沌とした詩をきれいにまとめてしまっているようなところがある。仕方ないんでしょうけどね。

四元　実作者としてはどんな感じですか？　あえて自分に制約を課すことで創造性を刺戟するということがあるんですか？

篠田　現代詩が現代音楽よりも殻を破っているようには、そんなにはぼくには見えないんですけど。お互いに違うジャンルからはおとなしく見えるのかもしれません。現代音楽の中で実験的なことをやっていてもひょっとするとその中にいない人から見たらそれほど違わないと思われるのかなと、そういう感想をいまぼくは持ちました。

四元　なるほど。作曲のところじゃなくてむしろ歌唱法ですね、いまぼくが言ったのは。

篠田　現代詩の人はみんな来歴がばらばらなんでしょうか。現代音楽はクラシックから派生したもので、そこにいる人は声楽家で、当然その声でうたいますね。

四元　でしょ。現代詩の場合はあえてそこで別の声の出し方を探していかないと成り立たないというところがあるから、声楽家に当たるようなものはないじゃないですか。昔はあったのかな、歴程とか。

野村　いやあ、ないでしょう。ぼくは演劇的な再現にも違和感を覚えるときがあるんです。俳優さんなんかが詩を読む場合もちょっと上手すぎるというか、芝居がかり過ぎるというんですか、現代詩の声はですからなかなか再現が難しい。それを突き詰めると自作詩朗読しかなくなってしまう。

四元　そうかもしれないですね。ちょっと話が飛びますが、風巻景次郎さんをご存じですか。戦前の国文学者で、中世文学をやっていて、野村さんがおっしゃったことと関連することを彼が言っていて、平安時代に漢詩が入ってくる前までの日本の詩は歌であったと。したがってそれは常に伴奏が伴い、何人かで和するということが和歌だった。文字は伴わなかった。そこに漢詩が入ってきて、漢詩と和歌という対立項ができるんだけれども、彼の眼目は、和歌自体がそこで変質するんだ、と。古今集のあたりから明らかに和する和歌ではなくなって一人の個人が、宴《うたげ》ではなくて孤心の中に入って、文字、当時出てきた平仮名を使って、内面の表白をするというふうに明らかに和歌自体が変質していく。だから万葉集でも初期の歌は五七五・七七ではなくて五七・五七・七と、歌の第一節、第二節、そしてクロージング、で書かれていた。ところが漢詩の個人の内面の表白という概念が入ってきたときから、それが五七五・七七に変わる。ぼくがそこに付け加えるとすれば、五七五・七七というのは個人の内面の中での対話なんですよね。ソネットみたいに五七五の部分であるテーゼが出されて、七七でそれに答えるというような。そういうふうに和歌自体が個人的な表白となり、表現方法も声から文字に変わってゆくと。現代詩はそこの一番端っこにいるわけじゃないですか。ところがそれが作曲されて歌われるとなると、ぐっとそこを溯って、和する、伴奏を伴う、個性が一回棚上げにされる、そう考えると、ぼくがいま文句を言っていた、みんな同じような歌い方をするというのも、むしろ当然なのかもしれない。だんだんそんな気がしてきました。

野村　なんとなくわかるような気もします。同時に、だからこそ我々は心のどこかでまだ古今集になる前の万葉とか記紀歌謡とかの、つまり古代的な、個とか内面とかそういうものが入り込まない時代の言語なり声なりに憧れるところがある。

四元　そうですね。

野村　そして現代詩の中にその憧れの部分が声として響くことが、少なくともぼくにとっては夢でもありますね。

四元　共同体に準拠してみんなといっしょに歌う欲望と、敢えてそれに抗って孤心のなかで自分だけの声を求める欲望の、そのふたつの間を行ったり来たりしている。篠田さんもそういう感覚はありますか。

篠田　そうですね。どの段階の話をすべきかわからないですけど、歌ばかり作っているわけではない、そもそもぼくは歌専門ではないし、そんなには作っていません。作るとすればという条件でいつも作っています。

野村　篠田さんがぼくの「街の衣のいちまい下の虹は蛇だ」を作曲するにあたってのノートの文章なんですが、もともとは声にあまり興味がなかったとおっしゃっていますね。「声楽曲を作る際注目したのは「テキスト」の存在である」とあって、ちょっと迂回するような感じで、あくまでもテクストを媒介にした声の発見であるという、これは篠田さんにとっては本質的なことなのではないでしょうか。さらに、声を殺すというとちょっと言いすぎかもしれませんが、「声」よりも「言葉」に着目して」とか、非常にユニークで篠田さんらしいなと思ったんですけど、言葉に拘るのは詩人なんですけど、作曲家でも言葉に着目して声楽曲を作るというのは、難しいことではありますよね。

篠田　せっかく口を使うのだから、言葉をしゃべれるのだから、というところがあって。作曲家は音で意味を作っているんですが、音のことしか考えていない作曲家に言葉というイレギュラーなものを入れたらどうなるかというような気持ちがしたんです。

野村　それは多少ともぼくにとっては嬉しいことで、詩に対する、こう言ってよければ敬意がある。最初に聴いたブーレーズは詩にある意味全然敬意を持ってないんですよ。フランス語のネイティブでもルネ・シャールの詩は聴こえてこない。完全に楽器と化してしまっている音がするだけなんです。

ブーレーズはかなり挑発的にそういうことをやっていたので、もしかしたらルネ・シャールは気を悪くしたんじゃないかなと思うほどです。そのくらい徹底して声のために言葉を殺してるんですね。それと逆のことをなさろうとしたという気がする。

篠田　そうです。そして全然自分の言葉ではないし、自分で詩を書こうとも思わない、書けるとも思えない、そういう意味では敬意があります。

野村　二番目の作品である「平安ステークス」、これは朗読すると長くなるのでしませんが、もう四半世紀前に出した詩集です。長篇詩と銘打っているんですけど、けっこう余白をたっぷりとってありまして、実質的な文字量はさほどではないんです。では聴いて下さい。

＊音楽作品「平安ステークス」の冒頭部分五分ほどを流す

野村　こんな感じで、これも全体で二十分ぐらいだったでしょうか。

篠田　そうですね。

野村　ずっと続いていくんですけど、作品的にはさっきの「街の衣」に比べると落ち着いた抒情的な作品なんです。平安ステークスという競馬のレースと平安遷都、長岡京から平安京に都を移すその人の流れとをダブルイメージで書いていった感じなんですけど、どちらかというと単一な流れ、テーマ的には二重なんですが書き方のトーンとしては単一に流れていく。いま聴いてみても「街の衣」に比べると落ち着いた感じがありますよね。単旋律ではないんですけどフーガっぽいところもありますか。

篠田　はい。そもそも企画が違ったので、普通の合唱団に書くということでして、より散文的なので、「街の衣」みたいにしゃべるだけでパフォーマンスになるような言葉ではなかった。それよりも全体の構成を見て、一頁に一行しかないとか、それがだんだん増えていったり減っていったり、散文的なところに共通する単語があって増えたり減ったりということを追っていきながら、全体を作っていくという感じにしていまして、何種類か、平安楽土へ向かうのと、現代のと、競馬の状況とが出てくるのを総合的に時間を追っていった感じですね。

野村　音楽は時間芸術ですけど、さきほどの「街の衣」は時間がカオス状態で、進行しているんだかしてないんだか判断がつきかねるようなそういう流れだったんですけど、これはまさに競馬そのままに、最後の直線にいくまではゆっくり流れていて、一頭を追って別の一頭、それを追ってまた別の一頭というイメージですが、ぼくの印象ですと篠田さんの曲の中にもフーガとして言葉が言葉を追っていくような感じが実に心地よく出ているなという感じがしました。

篠田　合唱曲としてこういう構成の曲はぼくは見たことがない。それもたぶんこの詩の構成に乗っかってできたらいいなと思ったんです。

野村　さっきからそこを強調されてますけれど、つまり構成や構造がくっきり浮かび上がるような作品に注目するということなんですが、篠田さんが選んだぼくの詩はいずれも実験的な作品なんですね。方法があって始まるみたいな作品なんです。自然発生的に言葉を列ねていくというのではなくて、まず最初に方法、コンセプトを決めて、それに沿って言葉のいろんな配列や組み合わせなどによって作品を構造化していくというところがありまして、それが篠田さんの作曲動機というか作曲衝動と結びついたのだろうと思う。作曲でも、とくに現代音楽の場合は構造を考えるんでしょうか。

篠田　作曲家にもよると思いますが、最初から枠を決めていくというのはシュトックハウゼンが一番わかりやすいですね。それで一週間を埋めようとしたオペラがありました。ですがそうではない人も半分ぐらいはいると思います。ぼくは中間ぐらいにいると思っているんですけど。本当に自分の音を追求してという人もいますし。そういう意味ではむしろなにか遠くから見ているような詩に、作品としては自分そのものから相対化して作品を遠くから見ている自分がいる感じをぼくはして。

野村　自分のテクスチャーに対して距離をとっているということですか。

篠田　わりとそういうところがぼくはあります。自分の体験でしか書けないとかそういうことはまったくなくて、自分と作品は、関係がないことはないですけどちょっと別でいたいというところがあります。

野村　そこは現代詩に似ているんでしょうね。主体と表現内容が癒着してしまっている書き手も多いでしょうけど、ぼくのような場合はやはり作品とかなり距離をとっていますね。ある意味では突き放して作品を自立させる方向で書く場合が多いですから。それとさっきのノートの中にこうお書きになってますが、自分の作品に対してだけではなく詩に対しても微妙なスタンスをおとりになっているんですよね。非常に示唆的です。「詩と音楽が互いに「気を遣わない」関係である。つまり詩の意味内容に対して、音によって深く関わろうとはしない（必然性をつくらない）、かといって、敢えて詩と無関係であろうともしない、何か、詩と音楽が両立したまま同時に提出されるような状態にしたかった」。これが篠田さんの中で夢見られた詩と音楽の理想の関係性でしょうか。世の夫婦関係もかくありたいですけど。べったりじゃだめですね。

篠田　ここではこう書きましたけど、今はむしろどちらかというと、受け手が詩と音楽を両方受けてほしい。これは作り手側の気持ちなんですけど、音楽だけを聴くのではなく、詩だけを読むのではなく、両方で成立するようなものにしたいところがあります。

野村　それも嬉しいことですが、あとひとつ、うまく言えないですけど、詩と音楽とが、無媒介的にもたれ合わないで、ある種の「間」をつくるような関係、それが面白いのではないでしょうか。詩と音楽の関係だけではなくて、いろんな二つの物の関係に言えることなんだと思うんですけれども、音楽でもない詩でもない、間が生じるということ。それとは少しニュアンスがちがいますが、日本的な美意識の現れとしても「間」とか言うじゃないですか。距離が持っている美学と言いますか。学ばれたのは西洋音楽でしょうけれど、なにかしら日本的なことを意識することはありますか。

篠田　その流れだと、あまりないですかね。

野村　それはすでにやられてしまったということなんでしょうか。たとえば武満徹はかなり日本的な要素を取り入れましたよね。楽器とかリズムとか。

篠田　当時はいろんな作曲家がそういうことをやりました。ぼくは日本的なものにそれほど興味はないです。日本語には興味がありますけど。

野村　それはぼくもちょっと似てますね。日本語に興味あるし好きなんですけど、というか、母語として絶対的な存在なわけですけど、あえて日本的なものという言い方をしたくない場合が多いですね。下手するとナショナリズムになりますから。

篠田　日本的な詩というのはあるんですか。和歌とかですか。

野村　まあそうでしょうね。伝統的な和歌やそこから派生した俳句とか、そういうものを指すんでしょうけど。

四元　でも現代詩でも八割ぐらいはそうじゃないですか。抒情性とか情緒とか。語る私と語られている言葉が一致している。それが一致してないとどんどん構造的で、実験的になってきて、読者が少なくなる。

野村　それはジレンマですけどね。現代詩と現代音楽とは双子のように似たところがあっていずれも基本は西洋から輸入されたものに拠って立つというところなんですね。詩の場合はライバルと言っては変ですが、もう一つ、和歌、俳句があって、今は若い人はむしろ短歌にすごく流れが行っているんですね。たとえば早稲田大学ですと昔は早稲田詩人会があったんです。今はもうほとんどない。むしろ早稲田短歌会が隆盛を極めている。そういう時代なんですね。現代音楽にとっての和歌とか短歌とか俳句みたいなものはなんなんですか。

篠田　現代音楽は西洋楽器でやるし、西洋楽器と邦楽器はライバル視してませんから、ライバルはないと思います。ライバルと言われてびっくりしました。現代詩と短歌がライバルだとも思ってませんでしたし。

野村　ああ、もしかしたらぼくが思っているだけかもしれませんけど（笑）。

篠田　短歌にはスターみたいな方がいらっしゃるとかでしょうか。

野村　もちろん何人かスター的な人はいますね。発端は俵万智でしょうか。そのあと加藤治郎さんとか穂村弘さんとかが出て一気に口語短歌が広がっていった。その流れで若い人が今盛んに短歌を作っているんですけどね。やっぱり現代詩に比べるとかなり方法意識は少なくて済むんですよね。作りやすいし入りやすい。日常の一コマを瞬間的に切り取って提示できるというところが今の若い人の感性に合うのではないか。現代詩だと構成を考え語彙を選び、というふうにかなり方法的構築的なことをやらないといけないので、嫌われるんじゃないんですかね。そうですか、現代音楽にライバルはない。

篠田　むしろクラシック音楽ですか。そうすると日本のものではない。

野村　どこが分水嶺ですか、クラシックと現代音楽の。

篠田　どうですかねえ。現代音楽がいまちゃんと認識されているのか。言うのもなんとなく恥ずかしいところがある。

野村　そういう意味でも運命を共にしているような気もするんですよ、現代音楽と現代詩は。

篠田　現代音楽ですとブーレーズ以降というのがけっこうわかりやすくて、第二次大戦以前と以降、たぶんそこだと思います。

野村　そこですか。現代詩もそのあたりだと思うんです。具体的に聴く人口がぐっと減るのはどこからですか。シェーンベルクあたりからですか。

篠田　シェーンベルクは時代的に前の時代とかぶっているところがあるので、時代で言うと第二次世界大戦になってしまいます。

野村　日本の詩で言うと、戦後詩、荒地グループ以降ということになる。やはりがくっと読者人口が減りますね。好きな詩人を書いて下さいと学生に訊くと、圧倒的に多いのは中原中也なんですけど、ぼちぼち朔太郎とか宮沢賢治とかいるんですけど、戦後詩以降の詩人を書く人はまずいないです。谷川俊太郎が入るぐらいです。がくっと読む人口が減りますよね。ただこのあいだあるコンサートに行ったら、現代音楽とクラシックを同一プログラムに組み込んで演奏するスタイルが多いらしいんですね。シューベルトやクラシックとしてポピュラーなものを演奏して最後に現代音楽の作曲家の作品を演奏したりすると聴いてくれるみたいな。聴かざるを得ないといいますか（笑）。現代詩もそういう読ませ方はないですかねえ。中也はよく読まれるから、自分の朗読会でまず中也の詩を読んで、汚れつちまつた悲しみに……とか、いいなと思っているところに、突然、街の衣のいちまい下の……とやるとか（笑）。聴かせ方もあるかなあと思いますね。昔は三すくみと言われていたんですが、現代美術は村上隆が現れて以降ビジネス化しました。そのあとを追う必要はないんですけれども、四元さん、発信の仕方を変えるというのはないですかねえ。

四元　そこはけっこう矛盾をはらんでいますよね。今の篠田さんの話で、現代詩が俳句短歌をライバルというか、自分たちの存在理由を際立たせるための対立軸としてあるということの認識がないということはすごく新鮮で面白かったですね。そこは言葉と音楽では違うのかもしれない。基本的に現代詩は共同体に乗っかってはダメだという強烈な反省が明治維新のときにまず一つあって、近代化して個人というものが生まれ、自由民権運動をしなければいけない、恋愛をしなければいけない、自由を模索しようとしたし、それが第二次大戦のときに総崩れになってしまって、みんな短歌とか文語とか五七で戦争を賛美する詩を書いたという反省があったので、戦後になって共同体にあえて背を向けなければいけないという流れの延長で来たんじゃないですか。和してうたうんじゃなくて孤独にうたう。

その中で個人の狭い枠に囚われずにそれなりになにか広がりを持とうとすると、後半になって野村さんがおっしゃった構造性に行くしかないんですよね。共同体的なものではなくて自分一人の構造体を企画して、そのなかに普遍的な要素がいろいろ入ってくることを画策するみたいな。音楽の世界にも、共同体に寄っかかって書くタイプと、それを遠ざけて書くタイプの現代音楽のあり方みたいなものがあるんじゃないかな。

野村 端的に言うと、日本的な題材を使うとか、そういう作曲家はいますからね。篠田さんがそういうことに関心がないとなると、ますます我々の方に近いということになりますね。

四元 ただそれだけでもちょっとさびしいですよね。もっとポップな、みんなが口ずさんでくれるみたいなのがあれば、現代詩の詩人はひたすら共同体に背を向けるんだけれども音楽家がちゃんとそこをカバーしてくれて、というわけにはいかないのかなあ。

野村 ねえ。それは夢ですね。

四元 今の話を聞いていると、そっちの方向に行く感じではないですね。

野村 難しいところですね。では、最後に今度の新作、ぼくの詩を合唱曲にした篠田さんの第三作目「この世の果ての代数学」のことにいきます。ちょっと説明してもらえますか。

篠田 例によってこういう人たちが演奏するという前提がありまして、まず女声コーラスという条件があった。女声だけでうたうというので女性詩も見てみたんですけど、やっぱり野村さんのところに戻ってきた。

野村 それも不思議ですね。

篠田 さっきエロとおっしゃってましたけど、遠くから見た感じの明るいエロがあると思うんです。女性がうたうということに関して、この詩は女性性がすごくテーマになっていると思うんです。女で始まり、胎児とか、母とか、花嫁とか、いっぱい出てきます。それが掛けられたり引かれたり勝手に

「計算される」というのがちょっと面白そうだなと思いました。

野村　どこかリクエストしてもらえますか。ぼくが今ここで朗読しますので。

篠田　49ページがいいですね。代数学の14です。

誰かさんマタニティ
を奈落で割ったものと
地軸を臍の緒で割ったものが等しいとき
3倍の誰かさん
マタニティ
と2倍の地軸との和を
3倍の奈落と2倍の臍の緒との和で割ったものは
誰かさんマタニティ
を奈落で割ったものに等しい
なぜなら誰かさん
マタニティ
を奈落で割ったものおよび
地軸を臍の緒で割ったもの
を時の仮縫いとおくと
誰かさんマタニティ
は奈落と時の仮縫いとの積
であり地軸は臍の緒と時の仮縫いとの積である

（後略、詩集『よろこべ午後も脳だ』より）

野村　こんなのを曲にできるんでしょうか（笑）。時間になりましたので最後に結論めいたことをちょっと申し上げますと、篠田さんを招いていろいろ詩と音楽の関係、コラボレーションの可能性について話をしてきたんですが、いつもぼくが思うのはやっぱり古いかもしれませんが象徴主義の話です。ぼくなんかも象徴主義の末端の末端の末端ぐらいに位置しているんですけど、四元さんはちょっとニュアンスが違いますが、象徴主義とはなにかを定義した、有名な言葉があります。たしかマラルメをふまえてヴァレリーが言ったのだと思いますが、「象徴主義とは詩が音楽からその富を奪い返す試みである」。今の流れでいうと、篠田さんは多少とも詩の富をご自分の作曲に活かしている、方向は詩から音楽にいくんですけど、ぼくのような詩の書き手は同時にたえず音楽からなにか富を泥棒のように奪おうとしてますので、ライバルかもしれませんね。というのは、象徴主義は「奪い返す」と言っているんですね。つまりもともと詩が持っていた富。それをある時期から音楽に盗られてしまった。たぶんロマン主義以降のことだと思うんですけど。それをまた詩が奪い返してやるんだみたいな、けっこう挑発的な言葉でもある。音楽はなにが素晴しいかというと意味がないから素晴しいんですね。言葉はなにがだめかというと意味が付着してしまう。音楽からその富を奪い返すというのは言葉から意味を洗って剝き出しのなにかもっと本当に純粋音楽に近いような、裸の言葉になろうよということなんじゃないかと考えます。あるいは、朔太郎で締めましょうか。「詩は言葉の音楽である」と朔太郎は言っています。それともマラルメで締めましょうか。「類推の魔」という散文詩の冒頭にマラルメは書いています。「見知らぬ言葉が諸君の唇の上でも歌を歌ったことがあるか。意味をなさぬ呪文の呪われた断片が。」

VS 石田尚志

書くこと、描くこと、映すこと

2018.4.28

野村　石田さんの美術のお仕事をどういうふうに紹介したらいいのか。一番ふさわしいのは……

石田　たぶん「アーティスト」なんでしょうけど、普段は画家・映像作家と言っています。映像を作るということは現代美術の中で日常茶飯事なのですが、ぼくの場合は絵画からスタートして、今の時代に絵を描くことの意味を考えて、絵を動かしたくなった。あるいは音楽を描くという欲望が出てきた時に、映像という方法が一番身近で、映画自体が好きだったということもあります。現代美術の百年を振り返るとダリもレジェもデュシャンも、多くの画家はだいたい映像に向き合っている。その前は写真に向き合っていた。最大の作家はアンディ・ウォーホルになると思うんですけど、そんな自然な形で映像に入っていきました。ぼくの場合にはその方法がアニメーションだったり、あるいはパフォーマンスの記録だったりするんです。だから画家と映像作家とくっつけています。

野村　ぼくと石田さんとの関わりは、もうずいぶん古い付き合いになります。二十年近く前にあるイベントで、彼の作品を使ってぼくの朗読とコラボしたいと思って彼に申し込んだら快諾をいただいて、そこから付き合いが始まり、二、三回、彼の作品を使わせていただいて詩を朗読するというパフォーマンスをやってきました。それと、彼はすぐ近くに住んでいるんです。道で出くわしてお互い気まずい思いをする（笑）。ところが今朝、彼にメールを打ったら返信が来まして、なんと、今那覇空港ですということでした。間に合うのかなと思った。昨日まで吉増剛造さんとご一緒していたということで、彼はいろんな詩人とも交流があるんですが、とりわけ吉増さんとの関わりが深いですね。

石田　はい。画家になろうと高校を途中でやめてしまったのですが、羽根木の実家にいるのが気まずくなりまして、可能なかぎり遠くに行こうと思いました。北に行くか南に行くか迷いましたが、暖かい方がいいということで、十八の時に沖縄に行ったんです。真喜志勉さんという沖縄の現代美術のすごく重要な画家のところに通って、彼の個展をする国際通りのギャラリーに手伝いに行ったのが沖縄に着いてすぐぐらいです。そこに詩人の矢口哲男さん（山之口貘賞受賞。八〇年代から那覇在住）が打合せにいらした。それは吉増剛造写真展「アフンルパルへ」（アフンルパルはアイヌの聖地）が北海道からスタートして沖縄まで重要な場所をわたっていくという展覧会企画の件で、丁度吉増さんが那覇に来るということでした。そのままぼくはそのギャラリーでバイトみたいな形で吉増さんの展覧会を手伝うことになった。それまで吉増さんのことをなにも知らなかったんですけど、非常に重要な出会いでした。できたばかりの自分の絵を見てもらってタイトルもつけてもらったり、手紙のやりとりをした。そのとき描いていたのがこの渦巻きの絵なんです。金子遊さんの去年サントリー学芸賞を受賞した映像の本『映像の境域』の、この表紙に使われている絵です。むにゅむにゅが増殖して渦になっている。吉増さんとの最初の出会いでこういう絵になっていったということになります。ですからぼくにとっては那覇で吉増さんと会ったことは出発だったわけです。去年足利市美術館から始まった吉増さんの展覧会「涯

石田尚志

テノ詩聲」が沖縄県立美術館に行ったんですが、ぼくの横浜美術館での「渦まく光」という展覧会も沖縄に行って、たまたま担当学芸員が同じだったので、これはもう大切な縁だからということで、昨日のオープニングに行ってきました。

野村　象徴的だと思うのは、吉増剛造との出会いが写真展を介してだったということ、つまり写真家吉増剛造が石田さんの前に初めて現われた吉増剛造だったということです。

石田　ぼくが書いて出した手紙に対して吉増さんから返信が来たんですがその筆跡に驚いた。線を引く筆跡の衝撃です。そのときぼくはまだ映像に行く前だったので、まだ写真はわかってなかったかもしれません。彼の写真は今回も展示されていましたが、今回より一層わかるようになった。ただ、あのとき吉増さんの写真に出会わなかったら映像に辿り着かなかったかもしれません。二〇〇三年ぐらいだったか、彼がポラロイドを撮り始めて、裏が黒いものですからそこに字を書くという不思議な仕事をされていた。そのとき彼から大量のポラロイドを渡されて一緒に撮ろうと言われて、コラボレーションをしたことがありました。彼は映像作家として見てくれているんだなと思いました。

野村　ではアニメーションに出会い、それを制作のプロセスにしようと考えたのはいつ頃からなんですか。

石田　なかなか難しいんですけど、沖縄ではかろうじて描けたんですが、東京に帰ってきてから全く描けなくなりました。その理由は明快で、最初東京では油彩を描いていたんですが、沖縄に行ったら光の強さがすごかったので油で描けなくなって、透明水彩とかを使うようになった。それで東京に帰ってくると光を失ってしまったんです。沖縄に行ったときの驚きは影が青く発光しているような印象があって、影が光るんだというショックがあった。東京ではそういう絵が描けなくなり、油で色がどんどんかぶってくるような仕事になる。あとで見ていただく「部屋／形態」なんかは室内の仕事で、沖縄から戻ってきたということが重要な契機で、裏返しになったのかもしれません。それと、音楽が描きたいという欲望がすごく大きくなっていった。もともと音楽は大好きだったんですけど、音楽自体を透明水彩で筆跡のように、線が重なるんじゃなくて伸びていくように描く仕事になっていて、どんどん指揮者の手みたいに線が伸びたらいいなという欲望があった。それがパフォーマンスになってしまって、それをどうやって作品として、「もの」として戻すかという思いがあった。たとえばここに壁があって線を伸ばしますよね、その伸びていく線の喜びみたいなことを残したい、どう残すかというとき、ぼくがいると僕の背後の人は見れないんですよね。そこで、ぼくが消える方法を考えたんです。そのときにとりあえずアニメーションだったらちょっと描いてぼくが一度消えてコマ撮りする、というトリックを使えば線だけが伸びてくれるかもしれないと思った。

野村　はあ、面白い！

石田　本当に愚直な方法で、そのときCGとかできなかったものですから、ドローイングアニメーションという技法になったということです。

野村　石田さんの作品行為を近似的に語るとすればドローイングアニメーションということなんですね。ぼくも石田さんの初期の作品をたぶん生野毅さんの紹介で観て、いまおっしゃったような線の生成、そこで主体が消える代わりに線が自律的に生成してゆく、そういう作品を観たときに、やられましたね。とにかく作品をここで観てみましょう。

＊「部屋／形態」上映

石田　この作品は十六ミリフィルムでちょっと描いてはカメラのところに行って撮ってということを繰返して、一秒二十四コマですから二十四往復して一秒分を作っています。次の作品ですが、イギリスで一月間アーティスト・イン・レジデンスで仕事をすることになって、「部屋／形態」は撮影するのに一年かかってましたから、とてもじゃないけれど間に合わないと思ったのですが、光を外光に委ねてしまって作りました。

＊「REFLECTION」上映

石田　この作品の前後に「部屋／形態」や「フーガの技法」といった作品を作っていますが、どれも

部屋／形態

REFLECTION

色を失っていて、あまり色についての仕事ができなかったんです。ところがイギリスに行ってペンキを買いにホームセンターに入ったら、売っている絵具の色が向こうの赤・青・黄色なんです。土地土地でみんなが言うところの赤・青は違うし、大気、光が違うんですよね。だから自然な形で色と出会えたのがすごく嬉しかった。それとぼくの作品はほとんど即興なんです。コンテとか脚本があったらたぶんやる気をなくしてしまう。行き当たりばったりで、自分が引いてしまった線に気づいていくのですが、この作品は天候などにも左右されるから特にそういう仕事になっています。

次は「燃える椅子」という二〇一六年の作品を上映します。これは自分の家で撮ったんで、近所のこの空間で上映するとは自分にとってちょっと面白いんです。家ができたばかりのときに自分の家で作ろうと思った作品です。

＊「燃える椅子」上映

石田　いままではペンキで描いていたんですが、自分の家ができたばかりだったから汚したくないということがありまして、チョークと水で描きました。自分の家を作っていくところを見ていたら、コンクリートって基本的に水びしゃびしゃで、それを打っていくわけです。なんだ半分は水だったのかという驚きが自分の中にあって、水で直接描いたり、チョークで描いたものを水で流してい

燃える椅子

くというコンセプトで作りました。天窓があって細く光が入ってくる。その光が海の底みたいな感じで不思議でした。それとこの仕事は、椅子が一個だけあってそこからなにが見えてくるかということでした。椅子が影で自分の分身をたくさん作っていく。そうやっていくつか影を作ったら、椅子が燃えるヴィジョンが見えてきて、実物と同じ大きさの椅子を外で燃やした映像をその椅子にプロジェクションしています。

「部屋／形態」からそうだったんですが、映像を作って一番驚くことは、時間の表現なんだけど反復とか逆回転とかできるメディアなんです。そのことに気がついて、同じことが二回起こるとか逆回転とかの活用を自分の仕事で続けています。

野村　石田作品を初めて見たという方に感想を聞きたいと思いますが、池田さんも初めてですか、どんな感想ですか。

池田　最初の作品はホラー映画の恐怖感がありました。あと、これはこの雑誌の小特集（文字のない世界）に引きつけての感想ですが、原初的な文字以前の状態での自分とのコミュニケーションというような感じがしました。

野村　なるほど。三作品を拝見して、「部屋／形態」の発展形ということですけど、コンセプトは同じかもしれないけれど、場所によってかなり生成してくる作品は違ってくるのは不思議ですね。光のことをいろいろおっしゃいましたけど、沖縄の強烈な光の後で戻ってきた東京での光、それからイギリスという北ヨーロッパの弱い光、それから東京のコンクリート打ちっ放しの無機的な光。その三種類の光の中で作品自体が光に感応する形でどんどん変容していくというのは、いろんな美術作品や美術行為について言えることでしょうか、それとも石田さんご自身の傾向なんでしょうか。

石田　どうなんでしょう。基本的に自分は同じ線が増えていくだけの仕事を繰返しているんですが、言われてみると確かにそうですね。驚きです。部屋との出会いがそもそも自分の表現の根幹にまず必要というか、ある密室を見つけるというところから自分の仕事が始まっているような気がします。

野村　その部屋あるいは密室は石田さんにとってどういう意味があるのか。文学的に言うと孤独の象徴であるとか内面の等価物であるとか、いろいろあると思いますが、もう少し美術行為に即して言うと密室とか部屋はどういう意味を持つのでしょうか。

石田　部屋には、まず窓がある。そして窓の外に世界が広がっている。その世界を取り込んで作品にしたいわけです。だけど窓枠を描くということで行き詰まってしまった。苦しくなってしまったんです。なにかに「気づく」ということなんですけど、窓越しに何かを見るときの美しさ、なにかを通してみるときの明るさ、だけどそちらの世界に行ってみるとその気づきがなくなってしまう。なにかに気づいたときにそれをフレーム化する場所としての窓が自分の絵画のすごく難しい問題になってしまって、それで絵が描けなくなったということがありました。「部屋／形態」の場合には窓は光っていますけど、窓の向こう側にはなんの景色も見えない。こちらに入ってきているものに気づくという意識行為というか、カメラ・オブスキュラの、光の入ってくる場所のようにして描いている。その構造が自分の絵画と映像の結びつく場所として始まったのですが、それはカメラそのものなんですね。外の光を反転させて内側に映し込む。本当は外を見ればいいんでしょうけど、映り込むものを見るわけです。

野村　そのズレが面白いですね。

石田　そのときに、その部屋の持っている光というのがあるのですね。「部屋／形態」は東京大学の駒場寮という廃墟みたいな場所を安く借りてアトリエにして使っていたんですが、その部屋との出会いがあの作品を生んだんです。「リフレクション」も向こうから部屋がやってきたと言うと変ですけど、出会いがあった。

野村　言ってみれば部屋もしくは密室が広い意味での支持体みたいなものでしょうか。

石田　そうですね。あと、エドガー・アラン・ポーが好きなんです。ポーの小説を読んでいくと密室の部屋とか壁とかがすごく面白い。「楕円の肖像」という作品があって、ある傷を負った男が体を休めようと古い城の中に入っていく、そうするとベッドがあって、その周りに絵が飾ってある。ベッドの脇に本があって、飾ってある沢山の絵について説明をしている本だった。劇場みたいな不思議なシチュエーションなんです。影になって見えない一枚の絵に気がついて、蠟燭の火を動かしたら、ベッドの柱の影が動いて、そこに本当に生きている女性がいるんです。その瞬間、男は驚いて目を閉じる。ただそれは楕円形の肖像画なのですが、これが面白くて。映像についていろんなことを考えるきっかけになった。

野村　ポーらしいですね。

石田　ええ。壁の中になにかがあったとか、順番が逆みたいな感じで世界に気づいていくんです。

野村　それで思ったんですけど、石田作品の部屋にはコーナーがあって、X軸、Y軸、Z軸の座標軸のように見えるんです。そうするとあれは世界の雛形みたいなものをそこに設定して、外にあるはずの世界をそこに移動させて再構成するという、一種のズレですけど、その面白さがあるように思いました。座標軸と支持体の戦いと言いますか、最初の「部屋／形態」は東京の湿気の多い木造モルタルみたいな感じの部屋ならではの現象で、壁から線の生成が滲み出てくるような感じがしました。次のイギリスの部屋の場合は上方の窓から明晰な光が線の生成を運んできたみたいで石田作品をお行儀の良いものにしていた。矩形が強調されていましたね。三番目の「燃える椅子」は都市の神経網が我々の意志とは関係なく張り巡らされていく様をシミュレートしているようなふうに思いました。だから部屋のコーナーに石田さんなりの座標軸を設定してそこに外の世界がどういうふうにずれて、変容して、あるいは特徴を保ちつつ、映り込むか、それを非常に興味深く受け取りました。

石田　場所の話に広がっていったのが自分でも驚きです。実は、沖縄から戻る飛行機の中でずっと野村さんの『哲学の骨、詩の肉』を読んでいて、本当に面白かったんですが、最後に場所の話になるんです。吉増さんの赤壁という場所の話と、朔太郎の地面の顔という話、ぞくぞくしながら読みまして、そのまま野村さんの詩の謎を解くヒントになると思いました。

野村　吉増作品と石田作品の間にも通じるものがあると思うんです。吉増さんの赤壁や朔太郎の地面もそうかもしれませんけど、石田さんの場合の座標軸の設定とそこに生成される線の形態は似たような感じがするんですね。一言で言うと生成、生まれて成る、ということ。生成の逆は、出来上がり固定して既に存在していることでしょうけど、生成はプロセスの全体、あるいは始めも終わりもなくプロセスが続いていることですね。吉増さんもそうなんです。すべてを生成において捉える。石田さんの作品も瞬間瞬間が一個の絵に見えますから。そこに留まらずに次から次へと生成変化していくその様が作品そのものなのであって、吉増さんと共通する。それで最初に沖縄で巡り会ったのではないか。沖縄は亜熱帯ですから東京やロンドンなんかに比べるとはるかに光も強いし生き物や植物も……

石田　そうですね。そのむんむんした感じ。雲とか波とか風とか、台風が来るときのある種の分かりやすさ、予兆というか、風がある瞬間から逆になるとかあって、だからぼくは東京がちょっと息苦しい。地面が全部アスファルトで向こうが海であるとか山であるとかいうことが分かりにくくなっている自分がいる。那覇は迷路のようですけど、海はあっちとか方位はよくわかる。得体の知れない雲が湧き、ガジュマルの樹は暴れている。そこは原点ですね。その生成ということはそのまま野村さんの詩でも、どうしてこれだけの量の詩が生まれ続けるのかという、生成じゃなかったらなんと言ったらいいのか言葉が思い浮かびませんが、リズムとズレと溢れ出るような感じ、とくに水と草と土の感じがある。金子光晴についての御本『金子光晴デュオの旅』も、移動ということで世界が溢れてずれていく、そんなものとして好きです。

野村　それは東南アジアを回ったときのノートをもとに作ったものなんですけど、やはり南というのはなにか違いますよね。だから石田さんが最初に選んだ場所が沖縄だったということは強調しても強調し過ぎることはない。そこで吉増さんに出会い、写真というメディアに出会い、最初からすごい筋書きがあるようです。

話を少し進めますと、「音楽を描く」ということについてもう少し語っていただけませんか。それも詩作の行為とつながってくると思うんです。美術と音楽は違うものですけど、そこをあえて「音楽を描く」と言うことの意味はなにか。

石田　さっきの座標軸ですが、X軸とY軸の中に世界が配置されてるという空間は遠近法的な空間で、ある意味時間を止めてしまうものだということが言えると思います。首を振ることができない。歩いているうちに首を振れば消失点がずれていって世界はどんどん歪むじゃないですか。その歪む遠近法としての時間をどういうふうに描くか。リアルとかアクチュアリティをどういうふうに画家は描こうとしてきたかという歴史は、どういうふうに遠近法を壊してきたかという歴史のような気がするんです。そうすると写真の出現や、浮世絵という異様な遠近法との出会い、アフリカの彫刻との出会いなど、それまでの遠近法ではないものをたくさんヨーロッパは知っていって、その中で時間というものを描く引き金がいろんなところで現われた。その中で抽象絵画が生まれてくるわけです。キュビスムとかが出てきていわゆる遠近法がなくなってくる頃に、カンディンスキーがシェーンベルクを聴いて音を黄色く描いてしまった。ある種の精神性や神秘主義的なものも入ってくるんです。クレーとかカンディンスキーとかモンドリアンとか、音楽自体を描くような画家たちですが、その後で抽象アニメーションが生まれるんです。映画がリュミエール兄弟によって一八九五年にできて以降、写真の延長として遠近法が時間を展開させる場だったわけです。ところが一九二〇〜三〇年代に遠近法ではない形で抽象の図像を動かすという逆のものが生まれる。こういった音楽と絵を動かすことの歴史がありました。

もう一つ身体の話で言うと、ぼくはダンスや音楽が好きで、音楽会とか行きますよね、そうすると演奏している身体の動きが面白くて、そういう体の形じゃないとこういう音は出ないのかとか考える。とくに指揮者はいろんな人がいて、ただ楽譜で合図すればいいわけですけど、そこになにか得体の知れない不思議な動きがたくさんあって面白いなと思うのです。たとえばフルトヴェングラーの肩の動きとか。特にグレン・グールドの演奏を映像で見たのはとても大きくて、自分で自分自身に指揮をする左手が現れる。とてもおかしなことだと思うんですね、彼の手が空を舞っているときにできる線がぼくの抽象の線の欲望の根拠、対象なんです。まるで線が音楽を作っていくようなことじゃないですか。それはまさに座標軸だなと思うんですね。X軸とY軸があって、そこに線が生まれていくのはとても立体的なことです。そういうところに興味や欲望があります。

野村 キーワードは線だと思うんですけど、たとえばクレーなんかの絵を音楽的と言う場合は、色の配置とかがなんとなくリズムを感じさせるのだと思いますが、石田さんが今おっしゃった「音楽を描く」はちょっとニュアンスが違って、線が孕む身体性、時間性、それを敢えて音楽性とおっしゃっているという気がするんです。

石田 ただクレーもじつは線があるんですよ。指揮する手の軌跡をそのまま形にするスケッチが残っている。彼は画家になるかヴァイオリニストになるか悩んだぐらいの音楽家ですからバッハの「2声の素描」とか、五線紙の楽譜の音の連なりを線にしている。他方で色の天才で、色のポリフォニーで線を隠していく、それもすごいなと思います。

さきほど座標軸XYZということを言われて、うわあと思ったんです。それは今作っている作品なんですがXYZの座標軸に窓があって、そこに絵を置いてずっと作っていて、去年の夏ぐらいから撮影しているんですけど、久しぶりに十六ミリでやったら、前はせめて一日に二秒ぐらい進んだのが、今は四コマぐらいしか進まない。大変なことになってしまっている(笑)。一秒作るのになんで一ヵ月もかかるのかと。それだけ集中力がなくなったということなんですけど、ここになにか浮かしたい、浮いた状態でやりたいという感じがあって、だから面の話ではなくて立体化するような形にできないかという課題が今あります。それが座標軸の話をおっしゃっていただいてよくわかりました。

野村　あと無限旋律のように伸びていく線の生成の仕事もされてますよね。

石田　そう、巻物の仕事です。やはり定期的にやりたくなる仕事で、映像作品は空間を作ってそこに絵を描いているわけですが、描く側としては線を伸ばし続ける欲望が基本的にある。どこまでも線を伸ばしていきたい。そのときに巻物をセットしてカメラを自分の目の高さに置いて、その巻物をちょっと描いてカシャ、ちょっと描いてカシャ、その間にトイレットペーパーみたいに少しずつ紙を引いていくんです。無限に向こうから白い紙が来るわけです。蜿々と描けるから嬉しくてしようがない。それをやるとふわーっと線が伸びていくイメージになるんです。

野村　見てる方から言うとちょっと暴力的ですよね。

石田　そうですか、ごめんなさい（笑）。ぼくには一番解放感のある仕事です。

野村　なるほど。座標軸の場合と、巻物と、時空の現われ方が全然違いますよね。西洋絵画が発見したパースペクティブに代表されるような世界の見方がすべてではないということですね。巻物的な時空の現われ方もある。時空の多様性をわれわれは石田作品を観賞しながら感覚することができるのではないか。

石田　そこまで見抜いていただいて……

野村　見抜くというより、共感です。作品を観て自分の中にそれと共振しあうものが見つかった場合の喜びです。それがアーティスト同士が出会うコラボレーションの基本だと思うんです。そこでコラボレーションの話になっていくんですが、ちょっと石田さんの文章を紹介したいんです。もう十数年前になるんですけどある雑誌でぼくの特集をやったときに石田さんにも寄稿していただきまして、そのときに「近傍の詩人」というエッセイを書いていただいた。石田さんは大インテリで、文章もうまいんですけど、ユーモアのセンスもありまして、それが横溢している。言葉なり概念なりイメージの捉え方にすごく詩的なセンスがあるんです。「近傍」というのは数学用語で難しい概念なんですが、近所という意味ももちろんあるのでそれにかけてお書きになっている。「野村喜和夫さんの家は、僕の家から歩いて二、三分の距離にある」という書き出しで、ぼくと石田さんが近くに住んでいることは卑近な例での近傍に違いないんですが、予告あるいは予感と言いますか、石田作品を観て思い浮かんだ自作品は「近傍について」というタイトルがついていたんです。さっきの「部屋／形態」を拝見して共振するものがあって、待てよ、自分も以前これを言語作品として書いたことがあるぞと思った。「部屋／形態」を観る数年前に『風の配分』という詩集を出していまして、旅をしながら書いた作品なんですが、この中に「近傍について」という断章があるんです。そこに思い至った。石田さんの作品を観て共振したのは近傍というものをめぐるなにかだったんだということを感じました。それで作品を使わせていただけませんかと問い合わせたんです。アンドレ・ブルトン風に言うと、客観的偶然というんですけど、意図していなかったことが自分たちの作品行為を通して実現していくというのが客観的偶然です。それくらい世界は主体の意志とは関係なく無意識が仕掛けられている。たとえばブルトンが「ひまわり」という詩を書いて、ある女との出会いを書く。そうしたら十何年後に書いた通りの出会いが現実世界で実現した。そんなバカなと思うとブルトンは理解できないんですけど（笑）。それがブルトンの二番目の奥さんとの出会いで、『狂気の愛』という作品の中に詳しく書かれています。それに似たようなことが石田さんとの間で起こったんです。石田さんの作品を観て、びびっと来て、自分も似たようなことをやったなと思って、あたってみたら「近傍について」という作品で、それでコラボレーションしたんですけど、偶々石田さんと近くに住んでいた（笑）。なんなんでしょう、神秘ですかね。バカらしいと思う方はそれはそれでけっこうです。ぼくは芸術と芸術とのありうべき関係性、コラボレーションのありうべき姿、自己と世界とか自己と他者との関わりはこうあるべきだしこうあってほしいということを「近傍について」という作品に込めたような気がします。なので、石田作品とのコラボレーションも想起しつつ、ぼくにとって石田作品はこんなものなんだというのを作品の形で紹介してみたい。以前のコラボレーションで読んだ詩です。「近傍」を「石田作品」あるいは「石田尚志」と読み替えて聴いて下さい。それとぼく自身やぼくの詩作行為との関係を読み取っていただければと思います。

＝朗読＝

（近傍について）

近傍について。ここがおだやかな闇なら、近傍は稲妻の走る薄明でなければならない。ここが生い茂る通信の巣なら、近傍はあらゆる意味を吸い込む無数の穴でなければならない。むろん、ここを近傍がよぎることもあるし、近傍にここがまぎれてしまうこともありうる。あすの近傍はきょうのこの私の耳かもしれないし、きょうの近傍を私はあす、みずからの舌のふるえとして使用するかもしれない。きょう、紐として近傍は私をぐるぐる巻きにしているが、あす私はそれを脱して、いわば近傍を内在させることになるかもしれない。だが、つぎの瞬間には、外の私が近傍のように死に潤っているかもしれないのだ。いや、死が近傍を潤して、私はふたたびその逆の、たとえば生のあとの生、そのざらざらした力強い乾きだ。

（詩集『風の配分』（水声社、一九九九）より）

この最後のフレーズを石田さんもエッセイで引用して下さいました。この詩は石田作品に出会う前に書いたんですけど、不思議ですね。

石田　やはり最後のところが衝撃的で、「生のあとの生」という言葉にびっくりしてしまって、それは『哲学の骨、詩の肉』のニーチェの話ともかぶってくる。反復とか。それはぼく自身がやっている仕事がズレとズレとズレの追いかけっこで、それを繰り返し、さらにできたもの自体を逆回転で元に戻してしまったり、あるいは永遠に白い面に描き続けられる、そして近傍を白い面と描かれたものの隙間と言うとしたら、常に生成しつづけなければいけないという絶対的な場所なんですね。さっき暴力的とおっしゃられたのはある意味ではすごく嬉しくて、うまく言えないんですけど機械になっている感じがするんです。映写機で映像を回すのはものすごく暴力的で、スイッチを入れると動き始めて止まらない。歯車の中に組み込まれてしまって永遠に回り続けるような感じにちょっと近くて、カメラと面の間に自分も機械《マシン》になって永遠に描き続ける。近傍に憧れ、近傍によって脅迫的に促され、近傍は常に近傍であり続けるみたいな感じがあって、時間が流れているというのとも違う経験なんです。だから暴力的。だから今の朗読はとても響いてきました。

野村　あと、さっき池田さんが言っていたことですが、線は文字にやや似ているところがあって、でも文字ではなくて、文字以前なんですね。なにか言語ではないんだけどこれから言語になろうとしている線の叫びや囁きや呟きがどうしても石田作品、とくに巻物の場合は、聞こえてくるんです。言語以前の身体化されたなにか、奥にあるような前にあるような、一言で言えば原初的な生命のうごめきそのものが感じられるんですね。

石田　今の話は自分の中ではぐっとくるものがあって、子供のときにあまり国語が得意じゃなかったんです。小学校一年生のときに最初に配られた教科書で「あおいそら　しろいくも」と書いてあったりする、その言葉が「あ／おいそら」かもしれないし「あおいそ／ら」かもしれないし「あお／いそら」かもしれない、無限の組み合わせになってしまうものですから、普通に読もうと思えば読めるんですけど、どれが正解か分からないと思った瞬間から非常に平仮名が気持ち悪くなったんです。形が嫌だなと。でも好きな文字の形とかはあって、「る」とか「え」は好きだったんです。この形はかっこいいなとか思っていた。「え」は水色っぽいというか青っぽかった。だけど平仮名が嫌いになってから、学校ではずいぶんひどい目に遭った。読むのがあまり得意じゃない小学生、中学生でした。

野村　そういう症状ありますよね。

石田　最近すごく流行っている、いわゆる学習障害です。確実にそれですね。この間NHKの番組で、学習障害の人がどう世界を見ているかを子供の側から再現しているVTRが流れて、これはぼくだと思いました。やっと分かってくれたかみたいな。安野光雅の『ABCの絵本』のような、文字自体が壊れていくような本や、あるいは同じ安野光雅の『旅の絵本』とか、言葉のない本ばっかり繰返し見ていて字があまり好きじゃなかったのを、今すごくリアルに思い出します。

野村　それが石田さんにおける美術行為の原点でしょうか。

石田　そうです、原点の一つですね。絵はいくらでも描けるし大好きだったんですけど。

野村　絵文字というぐらいで、あるいは象形文字といってもいいけれども、もともと無関係なものじゃないわけです。どこかで絵と文字が分かれて、一つは言語を表す表音記号になっていって、一つは表象になっていくんですけど、分かれる以前の原初の記憶みたいなものがもしかしたら石田さんの中にあってそれが読むという識字行為を妨げていたのかもしれませんね。識字行為はそういう原初的形態が文字記号であるよということを学習し認識していくことですよね。それをなにかが妨げていたとしたらきわめて根源的な意味があるんじゃないかと思うんです。それはちょっと吉増さんに通じてくる。さっきの石田さんの話はある音素とある音素が言語として結びつかない、「エスプレッソ」なら「エスプレッソ」として結びつかず音素が分離してしまう、ということでしたが、吉増さんがある時期やったのも言語の音を音素以下のものに解体してしまうようなことだったと思うんです。わけのわからない、日本語でも朝鮮語でもないような中間にあるような音が吉増さんの中から出てきたりする。どこか通じるところがありますね。

石田　そう、かろうじて通じるかもしれないけど、吉増さんは無数の言語と言語、声、響きを組み合わせて、光をピと言い換えたり、目玉の記号にしたりして、それをずっと生き抜いているわけじゃないですか。すごいことで、ぼくはそれは早々に止めた。

野村　「生き抜いている」というのはすごい言い方ですね。ぼくも違った言い方で似たようなことを書いたことがあるんですが、吉増剛造は極限まで行っちゃった人だ、われわれはどこかで引き返さないと自分のアートなり文学行為に戻れなくなる。たぶん石田さんも吉増さんに同伴しながら、ここから先は吉増さんに任せようとラインをどこかで引いたんだと思います。

石田　そうですね。

野村　一緒に行くことはできないんです。

石田　吉増さんはぼくを紹介するときに長い付き合いでつかず離れずというふうに言ってくれるんですけど、そこはとても幸せな付き合いだなと思っています。

野村　これからのなにか自分の仕事でこんなことを考えているとかありますか。

石田　さっき話したことなんですけど、座標から浮いてくるということに興味があって、やりたいのは絵に戻りつつ、もしかするとそうではなくて彫刻みたいな欲望も常にある。音楽が時間なら写真ももちろん時間だし絵画もそうですけど、彫刻が一番激しい、恐ろしいものなのではないかと思うことがあります。存在自体が時間であるというか、一歩ずれただけで世界がどんどん変わっていく。すごい彫刻と出会うと立ち尽くしたり、その周りをぐるぐる歩いてしまったりすることがありますよね。ちょっと動くだけでも無限の形、存在が変わってゆく、あの力は何だろうかと思います。

野村　彫刻とは意外ですね。

石田　意外ですし、たぶんできないんです。

野村　そう、不可能な彫刻という感じかな。中空に……

石田　そうです、中空に浮いている欲望です。

野村　似た例は挙げられませんか。

石田　ロシア・アヴァンギャルドのマレーヴィチの絵画とか観ていると、尋常じゃないものを感じます。シュプレマティスムといって、遠近法じゃないですけど新しい社会のシステムで、今までの美術ではダメだ、美術も革命しなければいけないんだと。そしてある絶対的な正方形を描き、それを展開させて絵画というものを全部組み立て直していく、そんなことをやっていった。棒を置いて磁力を描く。消えていくもの、消滅自体を描く。あるいは金属音の感覚とか、今まで描けなかったものを描くぞということだったと思います。それにそんなに直接ではないけど接続する存在として、日本だと斎藤義重という人がいます。彼の仕事にはバランスとか、異様な力と力の関係を感じたりします。あとミラノでミケランジェロの「最後のピエタ」を観たときの衝撃があって、未完成の彫刻のあの面の在り方はリアルな彫刻ではなくて半分キュビスムみたいなものなんだけれども、あれは一体なんなのか、もちろん人だということは認識できるんだけど、あれこそ周りをぐるぐる回って止まらなくなった作品でした。

野村　作品に見入るのではなくて、遊星のように回ってしまう。面白いですね。

石田　そういうことをさせる作品ってすごいと思います。今日観ていただいたのはどちらかというと映画的な作品で、上映が終わると白い布切れに戻ってしまう、これも描き続けることで新しい白が来ることになります。

野村　なるほど、新しい白か、絶えざる白紙還元という感じですね。詩も、マラルメじゃないけど、白紙還元への恐怖がそのままテクスト産出の契機であるような一つの場として捉えられますね。最後に、石田さんのお話から中空とかピエタとか遊星とかが出てきたので、ちょうどぴったりのぼくの詩があるので、それをそっくりアーティスト石田尚志に送り返すというかたちで締めくくりましょうか。さっき読んだ「近傍について」が収められている同じ『風の配分』から、その第80番、(生のあとの生)です。

=朗読=

(生のあとの生)
日を日に繋いだ果ての果てで、突然、大粒の涙が眼からあふれ、こぼれ落ちそうになるのを、もうぬぐう手もないから、私は払い落とそうとして何度か顔を振るが、かえって涙は、遠心の力を得て顔のまわりを廻りはじめ、白銀に輝き、遊星のよう、めぐるその速度の履行につれ、もはや中心に眼もなく、顔も縞のように欠けて。生のあとの生。

ありがとうございました。

DIALOGOS

iii 詩歌道行

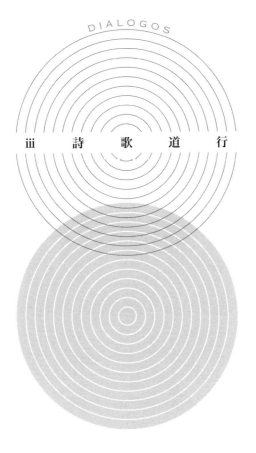

VS 有働　薫

現代フランス詩の地図を求めて

2018.11.17

ジャン＝ミッシェル・モルポワを訳す

野村　残念なことですが、最近フランスの詩や文学が読まれなくなっているのではないか。現代詩の世界でも、仏文科出身の若い詩人というのはめっきり少なくなったような気がします。今日は一人でも多くの方にフランス詩の魅力を伝えるべく、その目的にぴったりの有働薫さんをゲストに迎えて、フランス詩について、また広く詩の翻訳の意義や醍醐味について、縦横に語り合いたいと思います。有働さんのことはかなり以前から存じ上げていますが、もともとは渋沢孝輔さんの縁ですよね。渋沢さんが「オルフェ」という同人誌に入っていて、有働さんも「オルフェ」の同人だった。ぼくもよく渋沢家に出入りしていたものですから、その辺がきっかけかと思います。渋沢さんの兄弟子みたいな感じになるわけですね。有働さんはその後おもにジャン＝ミッシェル・モルポワというフランスの詩人の詩の翻訳を手がけるようになりまして、ぼくもずっと拝見してきて、素晴しい仕事だなあと思ってきたわけです。ですから、こうして今日ご本人とモルポワの話や広くフランス詩の話をすることができるというのは、とても嬉しい限りです。モルポワ作品との出会いから語っていただけますか。

有働　仏文を卒業して時計の会社シチズンに翻訳要員として就職しました。大量の技術翻訳は大変で、泣きましたね。足掛け七年勤めましたが、子供が欲しくて、在職中に流産したものですから、会社を辞めました。家に居て、フランス文学をやりたい、大学の頃から憧れだったフランスの詩を読みたいと思い、始めました。「詩学」編集部に行くと、有働さんフランス語を読むんだってと嵯峨信之さんに言われて、じゃあ勉強のために、「詩学」に一ページあげるからフランスの詩の状況をつかんで毎月一回報告してみたらと言って下さった。「フランス詩＝今日」というコラムだったんですが、フランス詩の現状をよく知らなかったので大変だと思いました。嵯峨さんは多少の資料のお金は出すからねとおっしゃって下さったんですが、詩学社もなかなか経営難で、お金を頂いたことは一度もなかったですね。ですから自前で探して歩く。新宿にフランス図書という専門の本屋があったのでそこに通って新しい詩人を漁りました。雑誌からそういう情報をつかみ取るんです。まだ若かったですからそういう緊張感が嬉しかったんでしょう。だから学者になるために教育を受けているとかそういうことはないんです。この記事を書くために「ウロープ」という「文藝春秋」みたいな月刊文芸誌を購読し始めましたが、一九八二年の一、二月合併号に五十八人のフランス現代詩人の特集があったんです。これでしばらくは大丈夫だと思いました。その五十八人の詩人を頭から読み始めたら、その中で一番若かったのがジャン＝ミッシェル・モルポワでした。あ、この人読める、という感じだったんです。それで彼の「ぼくら」という詩を「詩学」にレポートしました。他にもあったのですが、この詩が非常に印象に残って私の学力でも読めたということですね。

有働 薫

野村　モルポワはたまたまぼくとほぼ同い年ぐらいなんで

すが、一番若いから選んだとは、なんとも不純というか（笑）、しかしいい勘をされてますね。才能ある新鋭をピックアップされて。直感ですか。

有働　シチズンで泣かされたおかげかな。

野村　運命的なものも感じました？

有働　それほどでもないですが、そのあとずっとモルポワを追っかけ始めましたので、やはり運命的。私よりずっと若い詩人です。ときどきモルポワって有働さんのなんなのと冷やかされることがありますけど、プライベートな付き合いはまったくないんです。佐々木幹郎さんには、詩人本人を知ってからじゃあ訳そうということになることが多いけど、有働さんの場合は詩だけで付き合ってきたのと訊かれました。

野村　いや、それがむしろ正統で、作品がいいから訳すんじゃないんですか。そのあとようやく、現存する詩人の場合は、詩人本人とコンタクトがとれたり、じっさいに会ったりする。まあ幹郎さんは人見知りせず、社交的ですからね。

有働　書かれたものから入るのは古典的で昔風ですね。

野村　そういう時代ですかね。それはさておき、有働さんはその後モルポワの訳詩集もお出しになるようになって、何冊か出されていますね。

有働　二冊目のときにモルポワに手紙を書いて自己紹介しました。彼も若かったので喜んでいました。

野村　とくにぼくがモルポワを意識するようになったのは、三冊目の『青の物語』で、これを読んだとき、素敵な、素晴しい作品だなと思いました。モルポワの原詩ももちろんなんですけど、有働訳がとても素晴しいんですね。十分原詩の雰囲気が出ているような、美しい日本語になっている。あるカルチャーセンターの講座で『青の物語』を原文と対照させて取り上げたことがあるんですが、すごく評判よかったですよ。奥付をみると、有働訳の刊行は一九九九年四月ですね。その直前に、有働さんと柿崎直子さんがモルポワとの対談をセッティングして下さった。たまたまぼくがパリに住んでいたときで、九九年の晩冬でした。モルポワはなかなか感じのいいフランス人でしたね。フランス人はだいたい感じ悪い人が多いんですけど、控えめで謙虚な紳士という印象でした。渋沢さんもモルポワのことは気に入っていたんでしょ？

有働　はい。モルポワをやってますと言ったら、へえ、詩人はどうもねえとおっしゃって。詩人は毛むくじゃらで臭いんだと。作品はともかくとして、彼の姿を見て、モルポワっていいじゃないとおっしゃっていました。礼儀正しくて背が高くて。ただ地方出身なのでやや上京者意識があるようです。

野村　そう、生粋のパリジャンというよりは、それ以外の地方の人の雰囲気がなんとなくありました。

有働　モンベリアールというスイスとの国境の町の出身でお父さんがジャーナリストだった。

野村　作品の中にも出てきますよね。モルポワは何度か来日もしていて、ぼくが再会したのは、秋吉台で行われた現代詩のフェスティバルで、彼もゲストとして招かれていました。そして今年の五月に、彼の新しい訳詩集『イギリス風の朝《マチネ》』が有働さんの訳で刊行されたわけです。原著の刊行は一九八二年ですから、モルポワの作品の歴史の中では初期のものですね。

有働　三冊目です。

野村　翻訳の予告としては随分前から聞いてましたが、なぜ今年まで延びたのでしょう？

有働　取りついたんですが、はね返されたんです。後半のルソー論、「新エロイーズ」論がどうしても私にはピンと来なかったんです。なぜモルポワはルソーをつかまえたのか、わからなかったのですが、今考えると同郷に近いからでしょう。体質的にルソーの体質を彼は持っていたんじゃないかと思っています。

野村　ぼくも最初ピンと来なかった。

有働　なぜルソーなの、という言い方はルソーに失礼ですけど。人間の自由に関してルソーはすごい人なんだなとモルポワによって啓発されました。

野村　たしかに後半は取っ付きにくいところもありますが、モルポワに代表されるような当時の詩の新しい傾向、いわゆる「ヌーボーリリック（新しい抒情）」のマニフェストのようなところもありまして、フランス現代詩の現状を打開すべく、新しい詩のありかたをモルポワが提唱した、とても重要な詩集ですよね。公明新聞にぼくがもっているコラム「今月の詩集」にこの訳詩集を取り上げましたので、読んでみます。

ジャン＝ミッシェル・モルポワ／有働薫訳
『イギリス風の朝《マチネ》』（思潮社）

原著は１９８２年の刊行だが、いまなお、なんとみずみずしい魅惑にみちた詩集であろうか。題名通り、読者にも豊かな詩的マチネの時間を約束してくれる、今日ではもうほとんど得がたい本のようにさえ思える。

著者モルポワは、フランス現代詩を代表するひとりで、ずっと「批評的抒情主義」を標榜してきた。本書はそのマニフェストとしての意味ももつが、モルポワの企図をひとことでいえば、詩の困難な時代にいかに詩をサバイバルさせるかということだった。言語による言語の破壊のごとき様相を呈していた当時の前衛的な詩の趨勢に対して、彼は抒情の復権を主張し、いわば詩の終わりの時代に詩のあらたな始原を模索しようとしたのである。冒頭で述べたみずみずしい魅惑も、そこに由来する。

しかも、理論と実践、詩と批評との分かちがたい協働あるいは融合によって。「リリシズムの言葉」という詩論的な断章から引こう。「わたしはものごとのふとした折にしか自分を認識することができない。ここから受動的な親和力につながるこれらのすばらしい魂の状態がやってくる。これが自我よりもはるかに広大な想像界を認める秘密の方法である。」
私事になるが、あれは1999年2月であったか、パリのとあるカフェでモルポワと対談したことがあり、本書を通して、まるでなつかしく親密なひとに再会したような喜びを得た。自身すぐれた詩人でもある訳者有働氏の麗筆に感謝したい。

こういう書評なんですけれど、『イギリス風の朝《マチネ》』は、モルポワの原点、モルポワが標榜した抒情がどんなものであったかがモルポワ自身の口から語られている、そういう詩集だと思います。有働さんの方からこの詩集についてなにかセールスポイントがありましたらお願いします。

有働 『青の物語』を先にやってしまいましたので、順序が逆になってしまった理由は先に述べた通り『イギリス風の朝《マチネ》』の方が難しかったからです。『青の物語』は非常に端正に作られていて大衆的にも受け容れられる。本人も自分の本で一番よく売れた本だと言っています。『青の物語』が売れたので彼は詩人としての地位を確立したと言えると思います。『イギリス風の朝《マチネ》』はそれよりも十年前の作品なんですね。ですから本当はこっちを先にやらなければいけなかった。モルポワ自身が、『青の物語』をやった後、次は何をやってくれるんですかと私に訊きまして、迷ってますみたいな話をしましたら、ぜひ『イギリス風の朝《マチネ》』をやってほしいと希望を出されましたので、これは大事な詩集なんだなと認識しました。その時は中断していた時期だったので、しようがない、もう一度やり直すかということで、随分時間がかかってしまいましたね。三十年近く間が空いてしまいました。モルポワはこれを入れて四冊出したので、一応上がりかなと思っています。彼自身はもちろん執筆を活発に続けています。今は「ル・ヌーヴォー・ルクイユ」という季刊文芸誌を出しています。ヌーボーリリックを旗印にして評論活動をやっているんですが、もう理論的には行き詰まっているというか……

野村 理論とかマニフェストってそういうもんです。時代に制約されますから、一定時期有効であればいいんですよ。いい作品は不滅ですけど、理論はどうしても賞味期限がありますから。

有働　最近は「ル・ヌーヴォー・ルクイユ」が評価する他の詩人たちの紹介みたいなものが記事として非常に多くなっていて、理論的な記事はあまり見あたりません。自分たちの詩風もできているし、今更もう主張しなくてもと守りに入ったというか……

野村　それは厳しすぎますよ。時代もあると思います。今たとえばなにかを標榜したりマニフェストでこういう傾向を打ち出すんだという時代じゃないですから。それぞれが勝手に作品を制作して、いろんなものが同時多数的に炸裂しているのが現在の状況でしょうから。

有働　ただ抒情詩を個人的感情から出るのではなくて、人間のギリシア時代からの本質から汲み上げられるものだ、要するに現在の「詩を柩に納め」（詩集『エモンド』）て原点に帰ろうと主張したのがモルポワたちなんです。

野村　そうですね。日本も多少そういう傾向があったかもしれませんが、とくにフランスの場合は六〇年代七〇年代を通して非常にアヴァンギャルドになり過ぎたといいますか、ポエジーよりもエクリチュールという面がおもてに出て、テクストを解体する方向にばかり行ったんですね。ぼくも自分の詩作の刺激になるかもしれないと思ってそういう方向を途中まで追っていたんですが、あるところで嫌になってしまった。雑誌で言うと「テルケル」とか。その後にモルポワが登場したわけです。今おっしゃったように、詩の古代に戻るみたいな、あるいは抒情の発生の方に戻るみたいな、もちろん現代の詩論ですからそっくり古代的なものを再現するというわけではないんですけれど、モルポワも非常に知的な詩人ですぐれた批評家でもありますから、現在の状況を踏まえた上で、もう一度、詩のエネルギーみたいなものを蘇らせるにはどうしたらいいかということを模索したわけなんですね。そこで出て来たキーワードが「リリシズム」というものだったんですけど、その当時の主張としてはとても新鮮でした。いま有働さんもおっしゃったように、リリシズムといっても、普通に言われるような主情的な詩ということではありません。むしろ、自我を小さくして、世界との原初的でヴィヴィッドな交流を言語化していこうという、それ自体きわめて批評的なスタイルでした。そういう理念を打ち出せたからいいんじゃないですか。あとは作品を実践すればいいだけのことで。で、どうなんでしょう、モルポワを長い間訳されてきて、詩人としての有働薫になにか影響を及ぼしましたか。

有働　はい。あなたの詩ってモルポワにそっくりねって言われました。

野村　ええ！？　そんな感想を言われたんですか？

有働　女性の詩人はいじわるですよね。褒めてくれようとしたのかもしれませんが、厳しく言えば、要するにあなたはモルポワから出てないんじゃないの、がんじがらめになってるんじゃないの、みたいな。

野村　そうは思いませんね、ぼくは。ただ、いい意味で影響があれば、それはそれで良かったんじゃないでしょうか。たとえばモルポワは非常に感性がよくて、事物に対する接し方や言語感覚がいい。みずみずしいもの、事物にふれた原初感みたいなものを言葉として引き出してくる力がすごくあると思うんです。そういう面は有働さんにも出ていると思います。

有働　ミッシェル・コローという現在気鋭の文芸評論家がいて、コローの方がモルポワよりも批評家として器が大きいと思いますが、そのコローが言っているのは、モルポワは自分の抒情を否定しようとするけれども、あまりにも言葉を愛し過ぎていてそこに戻ってきてしまっているんだということです。『イギリス風の朝《マチネ》』巻末にコローのその評論を収めました。そういうわけで、モルポワは言葉に魅せられた詩人なんです。

野村　でも詩人ってそうですよね。言葉を効率よく運ぶのが散文家で、逆に言葉に愛という無用なエネルギーを注いでしまうのが詩人です。ぼくも言葉に淫するようなところがあるので、いけないなと思いながら、つい悪癖でやめられない。すると普通に言葉を運用することが困難になってくるんです。

普通の文章が書けなくなるんですね。普通の文章を読むと、羨ましいな、こういう普通の文章を書いてみたいなと思うんですが、どうしても言葉に淫してしまうところがあって、つまり愛し過ぎるんですかね。

有働　言葉をあまりにも愛し過ぎているという表現は、コローは鋭いですね。同年生れの同僚で、ライバルでもあるのかもしれない。

野村　じゃあモルポワの話の締めくくりに、ぼくがモルポワに捧げた詩を朗読します。ちょうど『青の物語』が出た頃に書いた詩です。モルポワとの対談が「現代詩手帖」に載ったんですね。その号にこの詩も載りました。

（あるいは青）

――ジャン＝ミシェル・モルポワに

ある日
青が降りてきているだろう
理由はわからない
けれども
降りてきているだろう（とき

ときの（裏の
廃墟（のよう

夕まぐれ
気がつくと
キーボードをたたく指さきが青く染まっていたり
むつみあう肌と肌の隙間が
とても青く感じられたりするだろう（とき

ときの（裏の
廃墟の
幾何（のよう

そう
たとえば死を手なずけることはできない
まだ遠く近く
死とは距離そのもの
けれどもその距離が静かに投げ網のように
降りかかり
とても青く（青く

またたく
まの（幾何の
廃墟（のよう

もう空の青をみつめなくても
悲しさや沈黙の意味を知ることができ
もう白と黒のあいだの色を
灰だなんて呼ばせない
私たちはそれを遠い祖たちのように
青と呼ぶだろう（とき

ときの（幾何の
まの（裏の
またたく（廃墟（のよう

もう未来に
到り着くこともない
まれに私たちがからだを脱ぐことも
だから灰ではなく青の
分有

そのとき非常口も（土砂も
青いだろう

有働　青にそまっていらっしゃる。

野村　青はヨーロッパでは超越の色ですよね。マラルメの「青空」の青です。天空にあって人間存在としては到達できない青です。地上にある青はきわめてまれで、青い鳥とか青い花とか、人間ではなにかしら超越的な者だけが身にまとうことができる。具体的に言うと聖母マリアですね。唯一マリアさまだけが青い服を着ることを許されている。モルポワに触発されて、そういう天空の青が地上に降りてくるようなイメージでこの詩を書いています。青とは、詩的想像力によって、もしかしたら地上にもふつうに存在しうる色、いわば「地上青」にもなるのではないかと。余談ですが、もともと日本語の「あお」は青空の青じゃないみたいなんですね。古代の言葉では、白と黒の間の灰色のことを意味していた。競馬の葦毛の馬を昔は「あお」と言っていましたが、ああいう色なんですね。くすんだ薄明の灰色です。湿度の関係で日本の空はヨーロッパとくに地中海の空ほど鮮やかな青にはならないということもあるかもしれません。いつだったかの夏、南フランスのアルルかどこかのレストランで夕食を食べたあと、外に出て空を仰いだら、日本ではとても見られないような、ゴッホのあの狂気の青と同じ、ものすごく濃い青がひろがっていて、ちょっと陶然としました。それやこれやの青がまじって、これはきょう、有働さんが眼をとめてくださってコピーしてきていただいたものですが、今年の現代詩手帖3月号に発表した「魚群探知機」というアフォリズム集にぼくはこう書いています。

恐怖の青。――青は天空の色だよね。それがもし地上に降りてきたとしたらどうだろう。私たちは気が狂ってしまうか、さもなければ、詩でも書いてその狂気をちらそうとするよね、きっと。青は恐怖の色でもあるということになる。

『詩人のラブレター』をめぐって

野村　後半は有働さんの『詩人のラブレター』(ふらんす堂)を話題にしたいと思います。フランスの詩のアンソロジーなんですが、とてもすてきな本でして、タイトルも洒落ている。対訳になっているのでフランス語が読める人はより楽しめますし、フランス語がわからなくてもそれなりに楽しめる。これはふらんす堂のホームページに連載されたんですか?

有働　そうです。社長の山岡喜美子さんが誘って下さって始まりました。月に一度、六十回ほど続きました。それでネタが尽きた感じでした。

野村　タイトルが「詩人のラブレター」、これはどなたがつけたんですか。有働さんですか。

有働　そうですね。山岡さんは「ラブ」ではなくて「ラヴ」としたかったようですが、私が「ラブ」にしてくださいと言いました。おふらんすと言われそうで……

野村　そう言われることはやっぱり気になりますか。

有働　嫌ですね。私は杉並生まれですが、子供の頃両親が上京者意識が強かったので、田舎者のおふらんすと冷やかされるのはいやでした。

野村　ぼくの周囲には反吐が出るようなおふらんすの人々がたくさんいますが、有働さんはぼくから見ると全然そうじゃないですけどね。

有働　ただ今はお金があるので皆さんおふらんすと言っても随分身についていらっしゃいますよね、とくに日本の女性は。今だったらおふらんすも悪くないかも。

野村　それはともかく、詩とは不特定多数の相手に宛てられた手紙みたいなものですから、メタファーとしてもぴったりのタイトルですね。この『詩人のラブレター』は二部構成になっていて、第一部がフランスの詩の古典と言いますか、日本でも古くから親しまれてきたような詩がアンソロジーとして編まれています。いろんな日本人の訳者が登場してきますのでそれを辿るだけでも面白いですね。ボードレールの「旅のいざなひ」をなぜ鈴木信太郎訳にしたんでしょう？

有働　鈴木先生訳しかその頃は知らなかったんじゃないかな。今はたくさん出ていますけど。これは歌があるんですね。その歌がすごく好きで、むしろ歌の方から入ってきたみたいな感じですね。デュパルクという早くに亡くなった作曲家の若いときの作曲なんです。

野村　その次にランボーが載ってまして、これは粟津則雄訳ですね。

有働　そうです。ランボーは読めなかったのが粟津先生の訳ではじめて、おお、ランボーってこういう人なんだということが私にピンと来たということがあって、粟津ランボーは私のバイブルです。

野村　それは同感です。嬉しいです。ぼくも同じように粟津訳でランボーが実感されました。何と言ったらいいのだろう、翻訳を通してもなお、ランボーの詩的言語の物質性と、それが対峙した現実のざらざらした感じが伝わってくるというような。それからマラルメの「嗟嘆」、これは上田敏訳ですね。まさに日本に最初に入ってきたマラルメの詩です。ヴェルレーヌは渋沢孝輔訳ですね。

有働　はい、これは渋沢さんの名訳です。この訳は素晴しいのではないでしょうか。

野村　ロートレアモンの前川嘉男訳というのは、珍しい。ぼくは栗田勇訳がなんといっても最初の衝撃でした。懐かしいのはアンドレ・ブルトンの「ひまわり」で、窪田般彌さんの訳です。窪田さんの授業には出てましたか。

有働　窪田先生はお若くて私のころは授業はなかったんです。憧れだったんですけどね。雰囲気のすごく洗練された方ですね。女の子はすてきな男性に目がないんです（笑）。

野村　ぼくは般彌さんにはすっかり騙されてしまって。君たち、自分に自信がある人は大学院なんかに行くんじゃないと言われたんです。物書きとしてやっていくんだったら大学院はだめだと。それを真に受けて全然勉強しなかったら大学を卒業するのに二年も三年もかかってしまった。般彌さんも学生にはそんなことを言いながら、ご自分は大学院まで行ってるんですけどね。

有働　教授って無責任ですよね。ずるい。

野村　無責任です。人の将来だと思って。

有働　暗示をかけるんです。

野村　その通りです。もう一つ覚えているのは、ジョイス研究の柳瀬尚紀という英文学者の英語の授業。開口一番言うんです、お前ら、自分に自信のあるやつはおれの授業なんか来るなよ、と。真に受けて行かなかったら落された（笑）。

有働　ひどい。脅しですよね。教授が自分の地位を保つために学生になんか牽制する。保身ですよ。自分に対する学生の評価が怖くて、目つぶしをかける。教授と学生との間には戦いがある感じです。

野村　話を戻しますと、さすがだなと思ったのは、ルネ・シャールの「マルト」とか、ゲラシム・ルカやエドゥアール・グリッサンなんかもちゃんと載せている。目配りがいいなと思いました。グリッサンはクレオール文学の旗手です。かと思うと一番古い女性のマリ・ド・フランスをその隣に置くなんてものすごく洒落ているというか意外性があるというか。なぜ急にグリッサンからマリ・ド・フランスに行くんでしょう？

有働　そうですね。ツェランかだれかを入れるべきだったかと思います。ツェランのこと知らなかったんですね。

野村　そうか、ひとりだけドイツ語圏詩人が入っているというのも、面白かったかもしれませんね。ツェランはずっとパリに住んでいて、フランスの詩人たちとの交流も濃密にありましたから。ルネ・シャールの詩などもドイツ語に訳しています。でも、全体として面白い詩人の配分ですね。そしてそれぞれの詩に対する有働さんのコメントがついていて、これもなかなか洒落ている。そして第二部になりますと、フランスのいわゆる現代詩の詩人たちのアンソロジーとなって、戦後世代やもっと後続の若い詩人まで収められている。したがって当然あまりなじみのない詩人も混じっているわけですが、これらの詩人たちをどういう基準で選ばれたのかうかがいたいんですが。

有働　嵯峨さんの勧めで「詩学」でフランス詩のレポートをさせていただいたのがこの辺で役に立ったということですね。フランス現代詩を夢中で探し回りましたので。同人誌とかも手に取っては、どういう人が書いているのか、読めない単語を辞書でひきひき読んで詩人を探し回った、その成果がここに出てきたんじゃないでしょうか。怖れずにいろんな詩人に訳をつけることをやった。

野村　大変でしたでしょう。

有働　でもたくさんは読めなくて、結局チェックしたところだけを訳すというような省エネもやっていました。ただ第二部はまだ生きていて現役で書いている人達ですので、そういう意味ではその人と会っているような臨場感があったと言いますか、幸せな感じでした。第一部は勉強という感じでしたけど第二部は詩人を自分でつかまえたんだみたいな気負いがありました。

野村　クリスチャン・プリジャンとかアンヌ・ポルテュガルとかはぼくも日本で会ったことがあります。ちょうど二〇一一年の東日本大震災のあとの、「詩人たちの春（プランタン・デ・ポエット）」という催しでした。

有働　アルフェリとポルテュガルはアンチ・モルポワなんです。反抒情詩で、この人たちは人間の内面というものを認めないんです。人間は大したことはないんだと。詩は人間の外にあるという考え方でして、ポルテュガルなんかは私が何を考えようと私の詩には関係ありません、新聞や雑誌を買って汽車に乗る、その雑誌を読みながら気になる言葉をピックアップして組み合わせたのが私の詩です、と言います。そういうことになると自分というものは媒介でしかない。書き取るという操作をするだけで、詩は外にある。今でも彼女はそういう書き方です。

野村　そうですか。そういう傾向がないわけではないですよね。とくにアヴァンギャルドな人達の間では。プリジャンもそういうところがありました。テクスト中心主義といいますか。彼と話したとき、ポエジーよりはテクストだと言っていたような気がします。モルポワの名前なんかを出すと……

有働　あれは田舎者でしょって（笑）。

野村　たしかに、不快な表情を一瞬浮かべたような記憶がありますね。面白いのは、ピエール・アルフェリという詩人はジャック・デリダの息子なんですね。哲学者の息子が詩人をやっているというのは、わりと珍しいケースでしょうか。そうか、谷川俊太郎もまあ哲学者谷川徹三の息子ですけどね。でもむしろ詩人の息子が小説家とかになるケースのほうが普通じゃないでしょうか。親を見ていたら詩人になんかなりたくないでしょうから(笑)。デリダの息子が詩人というのはほんとうにびっくりします。

有働　アルフェリはデリダの学会での苦労を見ているんです。それでデリダ姓は名乗りたくなかった。アルジェリア出身のユダヤ系ですから、パリに出てきて学者になったんですがその辺で非常に差別されたんですね。なかなか認められなかった。それを見てたので、デリダの名前を捨ててピエール・アルフェリというきれいな名前を名乗った。これはフランス人でもきれいな名前なんです。ピエールという名前は天使みたいな響きらしいです。それをペンネームに使っている。でもこの人の詩は脱構築なんですよ。要するに文章を否定している。文章は詩を汚す、言葉は言葉のまま裸であるべきだと考える。ですからお父さんの学問を引き継いでいて、超えてはいない。いくら反抗してもやっぱり父親の掌の中にいるんです。

野村　言葉は言葉のまま裸であるべきだというのは、一理ありますけどね。ぼくも言葉を愛するあまり普通の文章が書けないというのは、つまりそういうことなんです。ちゃんとした構文を用いて、ニュートラルで透明な、本当に意味を伝達するだけの文章を書こうとすると、詩が死んでしまうような恐慌に襲われる。それでつい言葉を、そのシニフィアン面を強調してしまう。とくに音韻なんかがそうですけど。音韻にひきずられて、意味から意味へと構文をつないでいけないところがありますね。

しかしそれを、意味から意味へを越えた言語の見えざる自己組織化と捉えると、案外、デリダの撒種の概念なんかにも通じていきそうな気がします。

翻訳の困難と喜び

野村 最後にいよいよ大きな話題に向かっていこうかなと思いますが、有働さんはモルポワを中心にフランス語の詩を翻訳するという試みをされてきたわけですが、翻訳の苦しみはなんですか。アポリネールの有名なフレーズにこういうのがあります。「喜びはいつも苦しみの後にやってきた」(ミラボー橋)。ですので、苦しみから。

有働 自分の頭脳の働きが弱いなと思わせられるところです。もっと鋭い頭脳があればわけなくこなせるだろうにと。

野村 そんなことはないと思いますが、ちょっともどかしいという感じなんでしょうか。

有働 今、人生の最後に差し掛かると、私はフランス語で書かれた文章は読める、だけど人とは会話できない、という認識になっています。

野村 同じです。会話はしたくもないですけど。

有働 会話するのが恐い。ほとんど使い物にならないフランス語ですね。

野村 翻訳家はそういう人が多いです。しゃべれないのかしゃべりたくないのか、しゃべらない人が多いですね。同じフランス語の運用といってもテクストを読んだり書いたりすることとコミュニケーションとはまったく次元の違うものですから。それは実感としてよくわかります。専門の文学や哲学の話ならなんとか応対できるんですが、街のお兄ちゃんお姐さんのフランス語は、なにを言ってるんだか全然聴き取れない。翻訳は文学で、創作とほとんど変わらない精神の仕事です。そういう意味での苦しみも多いんだと思いますが、それでは翻訳の喜び、醍醐味はなんでしょうか。

有働　いい訳ですねと言っていただくのは喜びですね。

野村　有働さんの訳は本当にすてきです。翻訳にも二通りありまして、一つは専門的な学者による、厳密さ正確さを期すような訳です。ボードレールを例にとれば、阿部良雄の訳がそれにあたります。もう一つはそのテクストの等価物を別の言語で作ろうという訳で、ちょっと古い例になりますが、齋藤磯雄訳ボードレールとか、齋藤磯雄は詩人ではありませんでしたが、だいたい詩人が訳すとそういう訳になりますね。詩人は自国語のリズムや響きに敏感ですから。ひいてはそして、その翻訳が自身の詩作にも変容をもたらすということになります。たとえばヘルダーリンは、古代ギリシャの抒情詩人ピンダロスをドイツ語訳することによって、自身の、いやドイツ近代詩全体の詩的言語を更新したといわれているくらいですから。そこが詩の翻訳のすごいところですね。有働さんの翻訳は後者のタイプ、つまり原作との等価物を作ろうとする御仕事なわけで、このモルポワの詩集もモルポワの作品であると同時に有働さんの作品でもある、そう読めるんです。日本語が言葉として美しく自立していますから。ところが学者の訳は、正確かもしれないけど日本語としてだめな場合もある。意味は伝わるけど、乗れない。

有働　シチズンでは技術翻訳は考えないで訳して下さいとよく言われました。

野村　これからＡＩの時代になるともしかしたら翻訳もＡＩに移行するかもしれない。今でもかなりのことができますから。ただし文学の翻訳ははたしてどうか。難しいような気がします。作家のいわば魂と身体が関与している文学作品は、同じように翻訳者の魂と身体の関与を通さないと翻訳し得ないような気がします。とくに詩の場合はそうでしょう。極論かもしれませんが、詩の翻訳は詩人によって、というのがぼくの持論です。さきほどの阿部良雄訳ボードレールでいえば、同時並行的に、詩人安藤元雄による『悪の華』訳があり、その見事さは阿部さんも認めていたというううるわしいエピソードもあります。だから有働さんが果敢にモルポワの翻訳に挑んだことはとてもよかったと思います。学者がやっちゃったかもしれませんから。私事になりますが、ぼくも長年ルネ・シャールの翻訳に取り組んでいます。『ルネ・シャール全詩集』や『シャール詩文集』というのはあるんですが、それは学者の訳でして、やはり詩人の訳もなければということで、なんとか刊行にこぎつけたいと思っています。

有働　そうすると違うモルポワ、違う『青の物語』がこれからも出てくるかもしれないですね。大学の先生が私の訳を見てこれは誤訳ばかりだと言って自分でするかもしれない。そのときは私の『青の物語』は否定されてしまうのかも。

野村　そんなことはないでしょう。小林秀雄のランボーの翻訳は誤訳だらけですが、だからといって小林訳ランボーの価値が貶められるかというとそんなことはない、その文学的価値は永遠です。それと同じように有働さんの『青の物語』も不朽ということです。むしろ最初の衝撃は絶対に越えられませんから。最初に仕事をした者勝ちみたいなところがあります。

有働　最初にやった者が色づけをしてしまうということがありますね。

野村　翻訳についてはべつの学閥的な問題もあります。私学対官学とか。西脇順三郎がマラルメの訳を出したときに、フランス文学の大本山ともいうべき鈴木信太郎に菓子折りを持っていったというんです。訳すのを許して下さいと。それぐらい昔の東大のアカデミズムの権威はすごかった。堀口大學の名訳詩集『月下の一群』があんなに素晴しいのにずっと岩波文庫に入っていなかったのは、岩波文庫は東大の独占物で、そこに慶応の堀口大學の訳業が入るのは鈴木信太郎が許さなかったということがあったらしいんですね。ところが堀口大學が八十ぐらいになったときに鈴木信太郎が死んだ。そしたら堀口大學は赤飯を炊いて喜んだということです（笑）。そうして近年、『月下の一群』はようやく岩波文庫に入った。

有働　学者のつば迫り合いってすごいですね。

野村　恐いですよ、東大のアカデミズムは。

有働　安藤元雄先生に、君のには誤訳があるよと言われたことがあります。モルポワが来日したときに持ってきたリーフレットの訳でしたが。

野村　安藤さんは学問的にも厳しいですね。でも、『悪の華』のみならず、ジュリアン・グラックの『シルトの岸辺』とか、いかにも詩人らしい素晴しい翻訳をされています。

女性性について

野村　このアンソロジーの中からでもいいですけど、モルポワ以外に有働さんの感性に合う、好きな詩人を挙げるとすると誰になるでしょう。

有働　シャルル・ジュリエが好きです。一九三四年生れの詩人で、言葉が少なく、なぜか東洋風の清廉の香りがします。マンディアルグみたいな女性蔑視の人は嫌ですね。

野村　彼は小説では女性をものとして扱いますよね。ボーヴォワールと付き合っていたサルトルだってそんなに女性に対して理解があるわけではないから、時代ということもあります。古典の詩人では誰がお好きですか。

有働　先日沓掛良彦先生が立教大学の横山安由美先生と共訳で出された『詩人クリスティーヌ・ド・ピザン』。ジャンヌ・ダルクの時代の人で、私もジャンヌがピザンおばさまに処刑を免れたくて手紙を出したというフィクションで詩を書いて『幻影の足』に入れました。私が思い込んでいたことが違っていたと、今回の沓掛先生の本で判明しましたが、詩なので許していただきたいと……。沓掛先生はギリシア以来の女性の詩人を研究してこられた方です。

野村　いまだからこそ女性の詩人もたくさん出てきていますが、ヨーロッパはある時期詩人と言ったらほとんど男性ばかりで、古代ギリシアにサッフォーという女性詩人がいましたけど、それ以来ほとんど女性の詩人はいない。フランスも十九世紀のバルモールぐらいですね。アメリカもエミリー・ディキンスンぐらいですよ。現在は違いますけど、文学史の中ではね。日本では平安時代は女性が文学の担い手であったわけですけど。

有働　女性は詩の対象であって詩を書く人ではなかったんでしょうね。

野村　ミューズですよね。

有働　ミューズが詩を書くのは困ると。

野村　なるほど。「革命に奉仕する」先進的なシュルレアリスムの詩人たちもほとんどが男性で、みんなそれぞれのミューズを持っているわけです。そういう意味ではシュルレアリスムもセクシュアリティやジェンダー問題に関しては非常に古典的というか伝統的なんですよ。

有働　野村さんについて一つ打明け話を。野村さんは女性の目から見るととても女性的なところがあるように思うんですが、先日お聞きしたところによると、野村さんはお姉さんと妹さんの間に生まれたのだそうで、女性には頭が上がらないんですよね。野村さんの柔らかさ、繊細さはそこに秘密があるんでしょう。

野村　そう、セクシュアリティは普通のヘテロなんですが、育った環境は女ですね。ぼくの詩の一つに「女の巣」というのがあるんですが、まさに女の巣の中で育った。だから男の子同士の喧嘩の経験がないんです。男兄弟だとよくやるんだと思いますが。そうだ、有働さんはモルポワについていつだったか、かなりひどいことをおっしゃってましたよ。

有働　やばいな（笑）。

野村　彼の性格についてですけど。

有働　つきあったことないから想像ですけど、彼には生き馬の目を抜くところがある。要するに陽の当るところにばかり行くんです。すごくニュースが早くて、今一番注目されそうなところにちゃんといるんです。お父さんのジャーナリストの形質を受け継いでいる。ジャーナリストって問題のあるところに駆けつけるでしょ。モルポワは学者だけどそういうとっぽさ、抜目のなさがあるような気がします。悪口でした（笑）。

野村　詩人以外の部分があるとすれば、学者とジャーナリストと半々ぐらいでしょうか。批評家や編集者でもあるんだけれども。フランスではそういう編集業務を兼ねている作家が多いような気がします。出版社が作家に委託して読書委員とか編集とかをさせるんですよね、おそらく。

有働　フランスの詩人は視野が広いと思います。

野村　それだけに出版のほうもそんなに商業主義に毒されてないんじゃないでしょうか。すくなくともかつては。ガリマールも何人かの詩人や作家に編集委員を委託していた。商売に文学者の目が入るわけです。

有働　目利きの役割ですね。

野村　編集者が本を売るために芸人に書かせるのとはちょっと違います。

翻訳とはなにか

野村　有働さんにとって、実作と翻訳の関係を踏まえながら、翻訳とはなんでしょう？

有働　自分の栄養です。自分がよく生きるための栄養、食べ物です。それをフランスの詩を読むことで得ている。だから山に入って美味しそうな木の実をもぎってくる、そんな感じです。

野村　なるほど、それは素晴らしい譬えですね。はじめにも言いましたが、そういう山の栄養に、最近人はあまり振り向かなくなっているのではないでしょうか。山に実っている栄養豊かな詩という果実を探さずに、里にこもって自分の書きたいものを書いている、そんな気がするので、とくに若い人に言いたいんですが、一度でもいいから詩の古典と向き合ってほしい。若い人にとって、その栄養はほとんど未来からもたらされるものと変わりません。最近、シュペルヴィエルの最後の詩集『悲劇的肉体』が嶋岡晨さんの訳で洪水企画から刊行されました。シュペルヴィエルの詩的遺言みたいなものです。シュペルヴィエルは本当に大詩人でして、とても素晴しいんですが、今ほとんど読まれていないような気がします。日本の詩にも大きな影響を与えた詩人でして、戦後すぐの時期、谷川俊太郎も飯島耕一も、みんなシュペルヴィエルを読んで自分も詩を書こうと思ったようなところがあります。安藤元雄さんも卒論はシュペルヴィエルでした。シュペルヴィエルとリルケの関係も有名です。「世界内部空間」のリルケが南米出身のやはり壮大な空間感覚をもつシュペルヴィエルの詩に感動したことによって、二人の文通が始まったわけです。ですから大変な詩人なんですけど、読む人もいなくなってしまっているという現状がある。まあ時代がちがうといえばそれまでですけど、嶋岡さんや版元が今度シュペルヴィエルの訳詩集をあえて刊行したのは、そういう現状に対して何か問題提起を突きつけるようなところもあったからではないでしょうか。そういう反時代的姿勢はぼくも大好きなので、『悲劇的肉体』を手に取ったときとても嬉しく思いました。すこしでも多くの人に是非読んでほしいですね。それでは有働さんの詩の朗読を最後に聞いて終りにしたいと思います。

有働朗読

久地円筒分水

まだ桜は咲いていない

それがひとつの救いのようだ

大河の水を——にかりょうようすいの水を分けて
円周に沿い
下流のわれらは
蝟集する日々にめまいする

詩とは言葉で自己の内面を掘り下げて自意識を得ること

わたしは
あの川岸の樹の陰に
どこにも行かずたたずんでいる
弟を
迎えに行こう
まだはたちまえの
弟は
息子の顔をして
わたしを
見つめる

(長いこと待たせて)

つぶやくと

影はうすれ
（まぼろしとなり）

われら大河のほとりに蝟集し

シューマンをラインへ
ツェランをセーヌへ

見捨てる

野村　最終行の「見捨てる」、どきっとしますね。

有働　ツェランを救う手立てはなかったのでしょうか。

野村　なかったでしょう。不可避的な悲劇性がツェランの詩を唯一無二のものにしているわけですが、翻訳によってその悲劇性が私たちにも伝えられ、各国語の限界を越えた詩の存在証明にまで高められるとしたら、そこでこそツェランも救われるし、あらためて詩の翻訳とは、すばらしい行為だと思いますね。

VS 福田拓也

『安藤元雄詩集集成』をめぐって

特別発言＝安藤元雄

2019.5.25

安藤元雄詩の礎石となるテーマ

野村　今日は先頃刊行された『安藤元雄詩集集成』をめぐって福田拓也さんに話をうかがいながら進めていきたいと思います。非常に重厚な、中身の詰った本なんですが、この本について語ることは安藤さんの詩の世界はもとより日本の現代詩が到達した点について語ることでもあるし、これからの詩をどう書いていくかというのをこの本から学ぶことができるのではないか。福田さんはフランス文学者でもありますので、安藤さんの詩にフランス文学の富がどんなふうに流れているのかについてもぜひうかがいたいと思います。安藤さんご自身がみえていますので緊張しますが。まずこの『詩集集成』をお読みになった大雑把な感想を一言お願いします。

福田　勝手なことを言わせていただくので、安藤さんの方からそれは違うよということもあるかと思いますが、詩の解釈ですからそれもありかなとも思います。今回じっくり読ませて頂いて、一九五七年から二〇一五年までの長い詩業を展開のように捉えてしまうのは単純化しすぎだと思うし、実際に読んでみると初期に出てきたテーマが最近作にも出て来る、だから図式的に割り切れないんだけれども、読んでいて驚いたのはかなりの流れがあることです。一見なかなか捉えどころがないかと思えて、現代詩文庫でも飯島耕一さんが「隠すような詩人」と言っていますが、でも読んでいるうちに流れがあるなと思えてきました。

野村　ぼくはこの『詩集集成』の巻末に解説を書いていまして、一応時系列的に論じています。安藤元雄の詩的出発はこんな感じで、こういう詩集を書き、こんなふうに安藤元雄の詩の世界は進展していったと書いた。それで安藤さんの詩の世界をざっくり掬うことはできるんですけれど、その書き方では落ちてしまうところもあるんですね。流れがあるとおっしゃったその流れとも関係すると思うんですけど、つまりテーマ論的な読み方ですね、あるひとつのテーマを追っていくと何がみえてくるかとか、あるテーマが回帰してくるときにどんな変容をしているかとか、そういうところを見落としているかもしれない。だから詩人安藤元雄のクロノロジーは今日は割愛させていただき、詳しくはこの本の解説と年譜に委ねます。

福田拓也

福田　時系列的な流れがあるから最初から最後まで読んで流れがあってすごく面白い一つの詩集になっている。あたかもボードレールの『悪の華』みたいな、集大成的な意味での一冊の詩集になっていると思います。

野村　通して読んで、一番これはすごいとか特異だなと思ったテーマとかイメージはありますか。

福田　「海」が印象的でした。安藤さんは辻堂に住んでおられ、私も茅ヶ崎に住んでいたし今は大磯に住んでいるので感じるのですが、海は浜辺が行き止まりでその先が海で、他界とか外側とか他所の世界というイメージがある。まして砂丘があってその先が波音だけだとそれが行き着けない外部とか、現象の背後の物自体、哲学的に言えばそこまでの射程があると思いますが、そこまでは言わないにしても海が言語の外部になっているかもしれない。そういう外部の探究は最初の「初秋」あたりからあり、これは有限から無限への移行、天空へ昇る運動としてボードレールにもあります。そういう外部に向かう動きに付随して、パスカル的ととりあえず言いますが、身体と空間の二重化が出てくる。内部と外部があるから空間も私も二重になる。ところが、詩を書く行為は到達不可能とも思える外部に向かいはするが、今度は外部が内部になってしまう。ボードレール的・ヘーゲル的に言うと、無限の世界に行ったはずがまた有限的なものが、汚いパリの街が戻ってきたり、青空の天空に昇ったはずが死体や老人が現われたりする。そういう有限的なものの回帰が『めぐりの歌』や『樹下』でも起こっている。しかもボードレールの翻訳者ですから影響があるといえばあり、例えば『カドミウム・グリーン』のなかのいくつかの詩篇はフィクション的な枠組みの作り方とか言い回しの点でボードレール的なところがある。とはいえもし安藤さんの詩作品へのボードレールの影響というのであれば、ヘーゲルの無限と有限の弁証法とも関わる無限的なものへと上昇してからの有限的なものの回帰ということが一番大きな影響ではないか、と思います。感動した作品はいくつかありまして、特に『めぐりの歌』と『樹下』にはすごく感動しました。だんだん詩人のいる場所が限られてきて、『樹下』は本当に樹の下、幹の根元に貼り付くという非常に奇妙なイメージで、イエスの磔刑のイメージもあるかもしれないし、仏像的な指を立てたりするところもある、そこのありかたに感動しました。

野村　ぼくと福田さんでこの『詩集集成』への焦点のあて方がちょっとずれている、そこが面白い。ぼくは安藤さんの前期から中期の、『船と　その歌』『水の中の歳月』『カドミウム・グリーン』この三冊に焦点を当てて解説を書きました。それに対して福田さんは安藤さんの後期をなす『めぐりの歌』『樹下』に感動したり興味を持たれている。その違いが面白いなと思ったんです。

福田　『船と　その歌』とか『水の中の歳月』にもいいものがあります。たとえば「むずかしい散歩」

とかはすごくいい、最高傑作であると私も思います。

野村　それはぼくも同感。そこでまず「むずかしい散歩」の話をしたいと思います。これから安藤元雄の詩の世界に分け入っていこうという人には恰好の手引きとなり、現代詩一般の書法を考えるときにもモデルケースになるような作品です。朗読してみます。

一枚の葉を記憶し
一枚の葉のあとを追い
それから　もっと奥
ふさがれた泣き声の方へともぐり込み
舵を曲げ
傾斜を滑り
ずるがしこく伸びる樹をまねて
もっと複雑な変奏にあこがれ
カードを積んでは崩しながら
川をわたり——この川には
始まりも終りもないらしい——
十年前の流氷をまだ忘れずに
そいつが溶けるまで
てのひらで暖めて　香りをかいで
娘たちの耳に見とれ
砂を撒き

鳥たちがやって来てそれをついばむのを待ち
証言を待ち
貧しい慰めを吸いきれず
草を流し声を流し
それから　もう一度
顔もあげずに川をわたって帰って来る

一読いかにも読み解きの「むずかしい」作品ですが、同時にそのことがこの作品のえもいわれぬ魅力をかもし出しています。ぼくはそのあたりの事情を「パラタクシス」という概念で説明しようとしました。詳しくは『詩集集成』の「解説」をごらんいただくとして、福田さんはどういうところがいいと思いますか。

福田　行から行への飛び方が間然するところがない、最後まですばらしい。これを解釈して、というのはちょっと難しいですけど、でもすごくいい。川が大事だなというのはわかります。野村さんによれば安藤さんはシュルレアリスムから少し距離を取ったとのことですし、私もそう思いますけど、この詩にはランボーの「永遠」という詩に近いもの、あるいはかなりシュルレアリスム的なものがあるような気がします。

野村　どういうモチーフでこういう詩を書いたのかなと興味がありますね。テーマ的には川が出てくるんですが、時間が空間化し空間が時間化するようなところがあり、福田さんがおっしゃる空間と身体の二重化にすごくかかわってきて、安藤さんにとって本質的なものなのではないかと思います。デカルトのコギトではないですが確固とした自己の身体がここにあって、また身体とは別に自分の心があって、そしてその周りに世界が広がっている、それと身体とは画然と分かれたものであるというのが普通の感覚だと思いますが、そうではなくて自分の周りを取り囲んでいる空間が自分の身体であり、自分の身体が同時に空間である、また身体は同時に時間的なものでもあるので、時間と空間が作用し合っているとも取れるわけです。空間と時間、あるいは空間と身体の二重化は非常に重要なテーマだと思うし、「水の中の歳月」などはまさにそうです。空間と身体の二重化ということで安藤さんの作品を読んでいくと随所にそのヴァリエーションがちりばめられている。安藤元雄という詩人は、空間の身体化、身体の空間化を一生かかってさまざまなイメージに投影してきたという印象があります。

福田　川が出てきて、川は時間でもある。同じ『水の中の歳月』の「橋」という詩に「川は時間が横ざまに置かれたものだろうから」とあります。時間とともに「むずかしい散歩」では一行目から最後まで空間が展開している。時間と空間の展開が一緒という面もありますね。

野村　それとこの詩をすごく質の高い豊かなものにしているのは、人間は二度と同じ川の流れに足を踏み入れることはできないというヘラクレイトスの言葉通りに、川の流れがたえず変容しているということです。この詩は二度と同じ流れではない川にその都度足を入れているような感じなんです。その都度そこで接触して得たものがたとえば十年前の流氷であったり娘たちの耳であったり砂であったり鳥たちであったり、相互の連繋はそんなにないんですけど、とにかくそんなふうにして川というものがたえず変容しながら水を送り込んでくる、そういう生々流転が書き込まれている。

福田　安藤さんの詩作品にあって、水はとても大事だと思います。「水中感覚」というエッセイがあって、この空間は空気ではなくて水と考えることができるという、そういう意味での二重化と関わる水というのがひとつあると思います。あと『樹下』なんかそうですけど、生成のイメージで水が出てきたり、もう一つはシュルレアリスム的なイメージとしての「溶ける魚」というのがあるんです。シュルレアリスムと関わる水があると思うんです。『船と　その歌』の「魚を眠らせるための七節の歌・竝に反歌」に魚が出てきて、「魚よ溶けよ」とあるのは明らかにブルトンの作品へのアリュージョンだし、水として表象される言葉の流れの中に魚としての語が溶けていくというような自動記述のイメージがあると思うんですけど、これはやっぱりシュルレアリスムを意識して書かれたもので、詩としてもすばらしい。自分を埋め尽くす水というだけじゃなくて、距離をとっているはずのシュルレアリスム的な詩やランボーの「永遠」という詩とのつながりをもった詩が安藤さんによって書かれるときがあって、そのような詩も水と関わっている。

野村　ただ安藤さんの世界はけっこう複雑でして、一方で水、船、魚という水の縁語的なテーマ系を作っていくんですけど、もう一方で鳥も重要なんです。鳥となると水というよりも空気といいますか、火の領域に近づく。ですから安藤元雄は『水の中の歳月』を書いたから水の詩人かなと思うとどうもそうではない気がする。水の詩人でぱっとぼくが思いつくのは大岡信です。生まれたところも富士山の麓のきれいな伏流水が流れている三島ですよね。水のイメージが大岡さんの原風景の中にある。安藤さんの場合はさきほど海が出てきましたけど、海も非常に特異な海なんです。安藤さんが傾倒したシュペルヴィエルの「秘められた海」に近いような。水も非常に特異な水で、そのまま空気になり火になりうるような水なんですね。H^2O で成り立っている液体としての水というよりは、火の水みたいな、ちょっと複雑なところがある。

福田　ランボーの「永遠」に太陽と海が、つまり火と水が溶け合う、あるいは一緒に消えるというイメージもあります。鳥については、最初期の詩集『秋の鎮魂』の「血の日没」という詩の最初の三行に次のようにあります。

僕らのためらいの上を過ぎて
鳥たちは海へ奔った
防風林よりも背の高い海へ

詩人にはためらいがあって防風林のこちら側に留まって海を夢みるんだけど、鳥たちは海に行くんです。到達したい外部、海の方へ。「防風林よりも背の高い海」もランボー的です。ただの海ではない。現象の背後にあるのかと思わせるような、外部的なもの。鳥は詩人の代わりに使者として外部の探索に乗り出す。

野村　そう、鳥って使者ですよね。

福田　魂が鳥になるということは万葉にもありますし、折口信夫にもそのような指摘があります。

触れることのできない空の奥の
古くから刻まれた一つの名前
の周囲を狂おしく

ここは野村さんも解説で引用されている。

野村　そこにメタポエティックを読んだんです。つまり「古くから刻まれた一つの名前」の探求こそ、徒労かもしれぬ詩人の詩の行為であると。

福田　「触れることのできない空の奥」、こちらにいる詩人には到達したくても触れることのできない外部みたいなものがあり、それが空でもあるし水でもある。

野村　福田さんの指摘とぼくの指摘が重なりつつずれるんですけど、面白いなと思ったのは、福田さんが指摘されるそういう「触れることのできない外部」を、ぼくの解説では時間意識として捉えているということなんですね。安藤さんの詩を読んでいると、「待つ」ということが大変重要なテーマになっている。なにかの到来を待っているわけです。その待つ行為がほとんど我々のライフになる。もちろん我々は究極的には死を待っているわけですけど、その究極に向かって詩人のライフ、生そのものになるくらい待つという行為が安藤さんの詩の中によく出てくる。鳥も待ってたりするんです。空間的には福田さんがおっしゃったようになにか外部の、もしかしたら到達できない、あるいは語り得ないなにかへ、鳥を媒介にしてアクセスしていこうとする憧れの気持ちがあり、時間的にはそれが待つという行為になる。なにか究極の出来事が現れるのを安藤的主体は待っているんです。ぼくの勝手な想像ですけれど、おそらくユダヤ・キリスト教的な終末思想と無関係ではない。それも福田さんにうかがいたいところなんですけど、ところが『樹下』や『めぐりの歌』に福田さんが興味をもたれ感動したというのはそういう超越的なものへ憧れとか終末を待機する姿勢とか、『秋の鎮魂』以来安藤作品を貫くそういうものが『めぐりの歌』や『樹下』において変容したということですか。有限なものの回帰というのは、超越を諦めるということですよね。

福田　はい、そんな諦めを感じました。とくに『樹下』だとその場が詩の場所になっている。かつて外部だと思っていたものが、今いる樹の下で、本当に狭いところなんですが、そこに実現する。「闇」や「顔」もそうです。闇も外部にあるものとして頻繁に現れるのですが、『樹下』では今いるところは闇の中なんです。だから外部だと思ったものが実はここだったということで、外部がここに実現している。その前段階として、ベケット的な「待つ」があります。砂浜に置かれた電車の中で砂浜を越えて海を夢見る話の書かれた「越境」というベケット的な詩があります。狭い居場所を設定してそこで外部の海に憧れたりする。別の国に越境したいと思う、でもそれで終わらないで越境しても別の国があるだけ、また同じものがあるだけだということになっている。それが前段階で、それから『めぐりの歌』とか『樹下』に展開するのではないか。外部に行ったらまた同じものがあるというのはボードレールにもあって、死は未知のものだと思っているのだけれど死んだら今と同じだった、帳が開いたら死の世界でも相変らず待っている。向こう側に行ったのにまだこちら側だったということは安藤さんのいくつかの詩に書かれている。これもボードレールの影響ではないでしょうか。外部のものの到来を待つという行為が変容しているのではないか。あと、生成を肯定するというテーマが『めぐりの歌』や『樹下』では出てくる。この場で朽ち果てるというのは、安藤さんの詩作品ではもともとそうなっていて、詩人は朽ち果てつつ、蒸発し消滅しつつ、空の闇とか海を夢みている。それに加えて、諦めてきて夢を見なくなって、ランボーみたいな船旅はやめようと、ここでこのまま朽ち果てる生成を肯定するんです。姪っ子でしょうか、女の子が慕ってくれた時、もうぼくのことは忘れてくれていいと『めぐりの歌』の「百年の帳尻」に出てきます。ニーチェみたいになるけど、生成を肯定するということがあり、回帰があり、千年みたいな幅が出てきますから場合によっては永劫回帰になる。劫初からやり直す、儚いものが永遠になる回帰です。ドゥルーズのニーチェ論にもあり、メイヤスーもまた、あらゆる物は変化する偶然的なものであり、偶然的であるという点で必然的であり永遠的であるという言い方をするんだけど、そういうような肯定の仕方があるのではないか。

野村　単純に否定・肯定と言うなら肯定に転じるのでしょうけど、それは微妙なところがありますね。ただ、諦念ではないんでしょうね。

福田　他の言葉がないから諦めと言いましたけど、それは大雑把で、もっと別の言葉があると思います。

野村　肯定なんですけど、よくあるケースの、若い頃フランス文学なんかに学んでそこから日本回帰するみたいな、あるいは東洋的諦念にいたる、というのではないような気がします。

福田　そういうのではない。これには生々しいグロテスクな面があって、テキストを見ると樹の下で木彫の像のごとく貼り付いているんです。背中のテーマがすごくある。何かグロテスクなものを感じます。いろいろ影響があるのでしょうけど、私はキリストの磔刑を思います。樹に貼り付いているのだから。それを見ている自分がいて、樹に貼り付いている小さな自分がいて、と私が二重化する。初期作品にもそれがあり、最近作の『樹下』でもそれが出てくる。そこが奇妙であり、素晴らしい。

野村　それはちょっと虚を突かれたような気がします。

福田　諦念とかに還元できない異質なものがある。

野村　これは誰も指摘していないと思います。一つ気になったことがあって、解説にも一言も書かなかったし、安藤さんご本人に訊いたこともないんですけど、年譜を見ますと一九四六年（十二歳）のところに「自宅に近い日本基督教団高輪教会に通い聖書を読み、受洗」とある。これは洗礼を受けたということですよね。キリスト者になったということ。そのことと、さきほど福田さんが指摘したキリストの磔刑のことがどうつながるか。

福田　「水中感覚」というエッセイでも聖書の創世記最初の、「神言たまひけるは水の中に穹蒼ありて水と水とを分つべし」という水と空とが神によってわかれる一節が出てくるので、当然それはあると思います。

野村　そうすると、また安藤元雄について考えるときにぼくにとっては別のフェーズが出て来ることになる。安藤元雄はキリスト教詩人なんだろうか。

福田　ただこれは晒されているだけで復活しないんです。キリスト教の根本は復活しなければ話にならない。イエスが復活してイエスの復活を信じることによって自分の罪はイエスの肉体とともに滅んでイエスが復活したのと同様に罪のない自分が生まれるというのがパウロも言うようにキリスト教の根本です。示唆的な詩行が「平原にて」にあります。

そうだ　もう少し
もう少し近づけばおれの目にも見えるだろう
あの樹の　一番下の枝のあたりに

背中で貼りついて
黙って晒されている木彫りの人形が
聖なる巣箱が

「黙って晒されている」のだから復活のイメージはない。

野村　それはアイロニーですか。

福田　いえ、アイロニーではないでしょう。アイロニーだけだったら凄みがないけど、ただ書いているだけだから、凄いなと。そんなに距離をとっていない。晒されて、滅びるだけなんです。シュペルヴィエルにもここにいる存在の弱さというのがあってそれからその存在が宇宙的になる。同じことが『樹下』にも現れるんです。

彩色が剝げ落ちて
虫に食われ　穴だらけになった木彫りの
氏素性も知れぬ　人の形をした像のように
雨ざらしのまま私はたたずみ
黙ったまま私の内側にいる

「私の内側にいる」から二重化ということがあるんですけれど、それから「指を立て／黙ってほほえんでいる」石像という仏像のイメージも出てくる。

野村　なにか、グロテスクと言っていいまでの奇妙な自己像ですよね。しかも自分の身体が樹に貼り付いているという奇妙にアイロニカルな共生のイメージ、そういうのが現われてくる。諦念でもないし救済でもないですね。

福田　かなりみすぼらしい自分のイメージです。

野村　でも最終的には希望なんでしょうか。

福田　嘘がないところがあるから一種の希望もある。

野村　安藤元雄の長い詩歴の中で探り当てたコアみたいなものでしょうか。

福田　この木彫りの像に限るものではないと思いますが、ただ『樹下』ではこういう形で「私」はいるわけです。二重化の話もしておきたいと思います。「水の中の歳月」の最後の部分にはっきり二重化が出るので、そこを読みます。

考えようによっては、この水は最初から私を包んでいたのではなく、むしろ長い間に少しずつ私の体から滲み出したものかも知れない。だとすれば、私は私の中に浮いているとも言えるし、私は私の中に沈んでいるとも言える。

こんなふうに「私」が二つになっている。水の中に沈んでいるかと思ったら水は自分から出ていたのかと。自分の体がそれほど巨大なものになっているんです。

野村　ある種ちょっとどんでん返しみたいですね。

福田　しかしこれが本質的なことであって、他の詩でもこういうことが枚挙にいとまがないくらい出ている。影響を考えると、どうしてもパスカルの「考える葦」と題された断片を想起します。宇宙の中で私は点に過ぎない、小さな弱い存在で、しかし一方で考えること、思考によって宇宙全体を包み込んで理解する、広大な宇宙の中にいる私とそれを考えて宇宙を包み込む私と二つになる、そして空間も二つになって二重化する。安藤さんも当然これは知っていて踏まえておられると思います。安藤さんに言わせると、単なる知的操作ではなく、知的操作そのものが抒情になりうるときがあると、これはシュペルヴィエルについて語る言葉です。安藤さんは「この宇宙的な大きさのものが一人の詩人の内面に収まるのはこの操作のため」であると指摘していて、「この宇宙に生をうけた人間の存在の心細さと想像力によるその心細さの克服とを歌いこめた」と書かれているんですが、これはまさに安藤さんの詩にも言えるのではないかと思うんです。

野村　まさにそうです。

福田　シュペルヴィエルの夢想の源泉とでもいうべき場所について、「それはほかならぬ詩人自身の肉体、閉ざされた容器のように彼の意識をその中に住まわせながら、同時に生命の源泉たる心臓を秘めている空間であり、しかもその空間は知覚をひろげることによってではなく逆に目を閉じることによって、かえって宇宙全体の大きさにまでひろがることができる」とあります。あとは四季派との関係の問題にも関わりますが、立原道造について安藤さんは「憧れの詩法」というエッセイを書かれていて、ここにないものへの憧れというものがあると指摘されています。立原の「盛岡ノート」と「長崎ノート」について「彼の生がどれほど徹底的に二重化されていたか」を指摘し次のように書いています、だから二重化ということは私が勝手に言っているのではなくて（笑）、安藤さん自身が二重化という言葉を使われているのです。「同行していない愛人への執拗な語りかけという形を通じて、彼は煤だらけの夜汽車に揺られている自分を絶えず別の世界へと投げ続け、投げることによって夜汽車の固い座席の上にいるみじめな病み衰えた肉体に意味を与え続けようとする。（中略）彼にとっては、喋るためにはそのお喋りの相手が目の前にいないことが決定的に必要だったとしか思えない。なぜなら、そのお喋りはまさに彼自身のための行為であり、彼自身を二重化することによる自己の存在の証明だったからである」。この後に「のちのおもひに」という立原の詩が引用されています。これについても後で触れたいと思います。

無限を含んだ有限の美しさ

野村　後半は少しくつろいで、『安藤元雄詩集集成』の中でそれぞれ好きな詩を言い合ったりしようと思います。ぼくは『水の中の歳月』の表題作はもとよりですが、その次の「冬の想い」も好きで、「火炎／ほほえみ／壺の影／チベットの雪がジブラルタルの外に降る」この数行は忘れることができません。それから次のピークの『カドミウム・グリーン』の表題作も一度読んだら忘れることができない。うまく言葉には表せないんですけど、心を揺り動かすようなインパクトの強い作品だと思います。「越境」はさっき福田さんから言及がありましたが、たしかに荒涼としてベケット的な印象深い散文詩ですね。ぼくも好きです。「水の中の歳月」もそうですが安藤さんは散文詩も非常に面白いものを書かれます。あと初期の「黒い眼」は底知れぬ不気味さをたたえている異色作です。それから個人的な思いで言いますと、『わがノルマンディー』に「むなしい塔」がありますが、これはぼくの恩師でもあった渋沢孝輔さんに対するレクイエムです。いつも読む度に涙してしまうところがあります。そんなところがぼくのチョイスなんですが。

福田　「初秋」は最初期の『秋の鎮魂』に収められた詩で、このときからいかに本質的なテーマが現われているかということがわかります。最初の一行が「草に埋もれた爪先上りの道が、その白壁に尽きている。」と、行き止まりから始まっている。だから詩人の場所は行き止まったところにある。立原道造の「のちのおもひに」同様長野県の信濃追分で海を夢想するというほとんど同じ発想の詩で、面白いのは海が近いわけはないのだけど白壁の中に海の音が聞こえて海があるみたいなことになっていて、立原道造の詩だとそういう山の中にいながら海のことを話していて言語のレベルで海がある。そういう共通点が面白かったんですが、それに加えて、白壁がここにないものを現れさせる詩の言語と化す、そういう言語についての鋭い意識をすでにこの時期からお持ちになっていた。壁は外部を隔てて見えなくするものなんだけどもその壁が実は外部を見せている。言語もそう。両方の解釈の仕方で、壁はただの障害でその向うに海があるけど遮っているのか、あるいは壁があってはじめて海があるのかとか、そういうテーマも入っている。超越的な外部だと思ったものが実はそうではない。のちの詩業の展開もかなりここに要約された形で入っているので非常に驚きました。あと、やはり『秋の鎮魂』の中の「黒い眼」は、グロテスクで凄みがある。最初は死体なんですけど、死人の眼をご覧と言われて見てみると、「彼女の眼は異様に大きくひろがっている」「そこに溢れ出して見えるのは、真黒な液体の眼球なのだ」、闇でもあり液体でもある、巨大な闇になりつつあるんです。「瞳はひろがりきって、溶けるように流れてしまうだろう。それだけは見てはならない。」もう人間の顔ではなくなって眼が大きくなって闇みたいになる、こういうイメージがさりげなく入っていて凄い。

野村　これはまだ二十代の前半に書かれたと思うんですけど、凄い幻視ですよね。戦争とかは関係ないんですかね。死んだ女のイメージとは……

福田　先日安藤さんに伺ったのですが、この『詩集集成』を読んだ井川博年さんからの葉書に、ここには戦争体験がありますねとあったそうです。安藤さんはそれを指摘した人はいなかったとおっしゃっていた。これはフロイトの原抑圧じゃないけど、あまりにも魅力的だけど危ないものなので蓋をしたんですね。見ないようにする。これがどういう経験か知らないけど、この初期の経験があった上でそれを何回も反復するんです。恐ろしいものが近づいてきたら反復したくなる。享楽と言ってもいいかもしれませんが。そういう意味で非常に面白い。

野村　同感です。「黒い眼」はぼくとかぶってますね。あとはそんなにかぶらない。

福田　「真昼の壺」という二部構成の作品では、前半の最後で詩人が壺の中で蒸発するイメージがある。限られた空間で居場所があまりない。安藤さんは、詩人は井戸であるとおっしゃっていましたが、この壺は井戸のようでもある。「青空の底知れぬ痙攣には目をつぶったまま」とある、ここには盲目のイメージがあり、詩人は見ることができないまま海を夢想するとか底知れない闇を夢想する。シュルレアリスムでは目をつむることに肯定的な意味もあるし「青空の底知れぬ痙攣」はブルトン的です。この詩の第二部は一人の老いた盲目の修道士に仮託してわかりやすく二つの世界すなわち闇である外部と内側について語っています。

――この世界というものがわれわれすべてを収容している巨大な容器であるとしたら、その外側に果してなにがあるか、考えてみたことがおありかな。(中略)要するに、一つの空間の中で光がわれわれとともにあるとき、その光は一見われわれを光明のうちに置くと見せて、実はわれわれの世界を限り、その限界の外に対してわれわれを盲目にし、ひいては限界の存在そのものを忘れさせてしまうのだ。

ですから外側が目指すべき詩の場所としてあるんだけどそれが安藤さんの詩業の展開の中で変化していく。「だまし絵」では、外部あるいは現象の背後の物自体に達しようという試みがあるんだけど、最初の部分は、

壁に描いただまし絵の窓の中に
あざやかな青い木立を　あるいは
誰もいないまま陽ばかりが照りつける砂地を
眺めあかして死ぬ人もあるかも知れぬ

これは外部を目指すという詩人のあり方の一つ目のヴァージョンで、だまし絵なんですが外部を見る。

もう一つは、

壁に描いただまし絵の窓の中から
薄闇の立ちこめる広場に　それとも
向いの家の変哲もない羽目板に
瞳を投げたまま生きながらえる人もあるかも知れぬ

そして詩の最後は、

そして人々はだまし絵を見つめるように
窓の向うから　朝夕の通りすがりにおれの目を覗きこむ

つまり、だまし絵の窓の中から通りを見ている人は自分だと。だまし絵の窓の中によその世界、ここは違う外部を見る、これもボードレール的なテーマなんですけど、そういうことをしていると思ったらその外部の世界は自分の視線、目だった、外部を見る自分の視線が外に見えると、私は解釈したんですけれど。ヘーゲル的なんです。物自体は、本当に物自体があるのではなくて、現象の作り方の欠陥が、全部現象にできなくて余ったところが物自体になる。ジジェクとかガブリエルのヘーゲル解釈はそうですよね。ここ二、三十年ヘーゲルはそうやって肯定的に捉えられています。安藤さんが意識されていなくても安藤さんの詩はそういう根本的な哲学的な問題をはらんでいる。最初期の詩集からそうですが、これらの作品は特にそうです。外部かと思ったものは内部だった、自分の視線で外部を眺めて作り上げている詩人自身だったということです。

野村　すごく興味深い問題提起ですね。同じような作品に『この街のほろびるとき』の表題作があって、短いシンプルな作品なのでより鮮明にいま福田さんがおっしゃったことが出てくる。

福田　その流れでボードレール的な有限なるものの回帰がある。ボードレールに「高みへ」という詩があり、青空の中へ昇って行くことが書かれていますが、このような高みへの上昇は安藤さんにもある。「苦しみの錬金術」ではエーテルのような無限なるものの天空の中に屍が現れる。「経帷子とまごう雲の中に／いとしい者の屍を見つけ出し、／そして、　天の岸辺にいくつもの／大きな石棺をこしらえ上げる。」こういう唐突な展開となる。天空の中にこの世の俗な一番嫌らしいものが現れる。それから小林秀雄が「悪の華一面」でこだわっていた、「夜の空にもひとしいものと」で始まる無題の詩（XXIV）なんですけども、女性を通しての青い無限の広がりの探究が突然「蛆虫の一団がしかばねに取り付く」動きに取って代わられ、ここでも無限の中に有限が回帰している。ヘーゲルの弁証法で言うと、最初は有限から無限に行くけどその無限は例えば俗世間の上の天空であり、つまり有限なものの上にある無限であり、有限なものがあっての無限なのであり、無限は有限なものによって限られるので、有限になってしまう。だから無限と思われた天空に有限的な死体が現われたり汚らしいパリの街が現われたりする。「パリの情景」の章ではパリの風景におじいさんやおばあさんが出てきて気色悪く書かれている。そのような無限から有限への移行は大きな流れとして見た場合、『めぐりの歌』や『樹下』に至る安藤さんの詩業の展開の中にもある。『めぐりの歌』の「夏の終り」には、

鳥は帰ってこない
もういい　二度と戻るな
傾いた海をいつまでもめぐっていろ
白い帆も黒い帆もまだ見えないが

もういい　どんな舟もここへ立ち寄るな
（中略）
おれがここにいる間だけがおれの時間だ

このように、『めぐりの歌』という詩集には、ボードレールの「パリの情景」ではないけど、ここに生きている時間だけがほぼ書かれている。安藤さんとしては珍しくそのまま会話調が出てきたり、かなり破れ目のある詩集で、そこがすばらしい。

野村　そうですね。『めぐりの歌』は安藤さんの作品の歴史の中では異質です。

福田　ごく大雑把に言って、普通に日常を書いたからどうだとか、そういう詩はあまり好きではないですけど、『めぐりの歌』は普通に日常を書いたかというと、ボードレールの「パリの情景」と同じで一回無限に上がって帰って来て見えて来た風景が書かれているので、その美しさがある。ボードレールは有限の中に無限があると言っています。ヘーゲルも無限を含んだ有限ということを言っていて、その場合はもう有限無限の交替には行かない。それは無限を含んだ有限であって、ただ無限と対立する有限ではないですから。滅びゆく虚しさがはっきりある風景は回帰した有限、無限を含んだ有限としてあり、すごく美しいと思うんです。

野村　ニュアンスは違うかもしれないけど西脇順三郎の茄子紺の中にある種の無限を見たりするのと似ている。

福田　『めぐりの歌』ではいくつか実際の会話で話された言葉がそのまま出て来るところがある。「百年の帳尻」では「今日はこれで失礼します　さぞお疲れでしょう／またいつかお目にかかります」とかそのまま出て来ます。安藤さんの詩としては珍しい。「冬の蛹」の「暗いなあ　生は　そして死もと／誰かが歌っていたような気がするが」という詩行も生のつぶやきが聞こえて来るようで、すばらしい。

野村　マーラーかな。

福田　「飛ばない凧」という詩があってすごく好きなんです。これは一見してただ書いているように見える詩なんですけど、安藤さんの詩業の中でこれが現れると、これは普通のことではない。ただ書くということが、普通ではない場合があるんですよね、文脈次第では。息子と凧を上げていると四歳か五歳くらいの女の子がいてその子の凧を直してあげた。そうしたら「不意に体をすりつけて来て思いもかけない言葉を口走った／おじちゃん　好き　と」、これがすばらしい、この一行が。ロマン主義アイロニーは詩の言葉ではないものを詩として扱うところに生まれる。ゲーテの「ヴィルヘルム・マイスター」から始まって、プルーストもそうです。プルーストの「ゲルマント」ですね。有限的なものが回帰する中で普通の言葉をそのまま入れるというロマン主義的アイロニーもある。ただのコラージュではない。

野村　そうやって細かく見ていくと、随所に今までの詩人安藤元雄のイメージからはちょっと外れていくような、そのイメージを壊すようなものもうかがえますね。安藤さんというとなにか典雅な詩風の人として捉えられがちなんだけども、どうもそうではない、もう少しいろんな要素が渦をなして廻り廻っているような感じを持ちました。なにかが激しく渦動している、でも一瞬ぴたっと静止して見える瞬間を捉えるので渦動それ自体は見えないかも知れないけれど、まあ一種の独楽のようなものですね。作品と作者を無媒介的にくっつけるのはまずいんですが、安藤さんも穏やかな感じの学究肌のイメージがあるんですけど、本当は激しい人なんです。それが作品に反映しているとは言いませんよ。でも作品も表層をすかして覗くと底になにか激しいものが渦動している。

福田　典雅というのは言葉が壊れてない、破れてないということですか。

野村　抑制した書き方をされるので一見そういう印象を持たれるんです。たとえば安藤さんと同世代ではもっと過激な書き方をした詩人も何人かいる。安藤さんよりも年下になりますが一時期の天沢退二郎とか吉増剛造とか誰でもわかる過激な書き方をした詩人はいるんですけど、それに比べると安藤さんの詩は典雅に落ち着いているように見える。それはあくまでも一見で、よく読むと、「黒い眼」じゃないですけど、激しいものがある。

福田　ギャップがちょっとありますかね。激しさと穏やかに見える言葉とのギャップ。

野村　あると思いますが安藤さんは同時に抑制を心得ている人なので直接体験を言語化するようなことはしないんだと思うんです。かならずそれが説得力のあるリアルなイメージに結晶するまで待っている。だから安藤さんの作品は数としては少ない。寡作の詩人なんです。しかし一旦発表した作品には待った時間だけの内実のある詩的なイメージがしっかり入っている。実質的なポエジーがあるという感覚を十分われわれは味わうことができるので、変な言い方になりますが、読んで損はない。見た目は凄いけど読んでみると意外と薄ぺらいというのがよくありますが、そういうのとは対極にある作品です。

一つだけ福田さんに質問いいですか。福田さんはシュルレアリスムの研究をされていて、とくにエリュアールについては専門研究者なんですけど、そういう福田さんから見て安藤さんの詩とシュルレアリスムの関係はどんなふうに見えてますか。ぼくはやや距離があるかな、もっと言うとシュルレアリスムにたいして安藤さんはむしろ批判的かなという見方をしているんです。

福田　瀧口修造のようなテキストはないし、ブルトンとスーポーの「磁場」とか、シュルレアリスム運動初期に出された「シュルレアリスム革命」誌に載っていた自動記述で書いたとされる散文詩とか、そういうテクストはないし、あとノイズが入るんですよね、無意味を生み出したいところもあるし、同じ音を繰り返したりとか、そういう試みは安藤さんにはないから、そういう意味では野村さんのおっしゃる通りシュルレアリスムから距離を取っていると思うけど、でも先程も言った通り、「溶ける魚」

に言及したり、シュルレアリスム的な詩も書かれていると思います。ただ数が少ない。そこがどう解釈していいのか難しいところです。踏まえながらときどき出す、もちろんそういう形で向うから言葉が来るんでしょうね。シュペルヴィエルはやはり大きい。『フランス詩の散歩道』でシュペルヴィエルについて書かれた部分を読みます。「夢想や幻覚の中に自分自身の本当のあり方、本当の存在理由を探究しながらも、あえて〈自動発語〉の方法によらずに、むしろ言葉の問題を前景からいったんしりぞけることで夢想の自律性を浮き出させ、理性をも夢想の鏡に映し出されたものとして取り扱おうとするような、そういう書き方をする詩人」ときわめて明晰に位置付けておられる。これはまさに安藤さんの詩のことです。自分の声の連続性とか持続性があってそこにやかましくいろんなものが入って来ないようにされていると思うけど、幻視というか詩的経験には非常に烈しいものがある。

野村　さきのぼくの話とちょっとつながるかもしれないんですけど、ありがちな詩人のタイプとして、表層の言語をすごく強調してエクリチュールの自立性であるとかそこにいろんな世界のノイズが入ってくるときの重層性であるとか、そういうものばかりを強調する。その結果、夢想の実質的な内容が稀薄に蒸発してしまうような作品が多くなるような気がします。安藤作品はまったくその逆で、「言葉の問題を前景からしりぞけ」てその代わりに長い年月をかけて夢想してきた内実みたいなものが一旦しりぞいた言語から滲み出てくるような感じ、それが安藤作品です。

福田　一見読みやすそうな言葉だけど、そんなに読みやすいわけではない。不思議な魅力がある。四季派との関係のことですが……

野村　四季派というのも我々は固定観念がありまして、高原に行って女の子と逢って淡い恋を抒情言語にするみたいなイメージがあるけどそれも一種の思い込みで、実は立原道造などけっこう深い詩の世界を持っています。立原道造を一番深いところで継承したのが安藤元雄ではないか。表層的には安藤さんと立原道造は似てない部分が多いんですけど、深いところではかなり通底している。それもやはり空間と時間の二重化にかかわることですけどね。あと、行き着いてしまったというような寂寥の地点、しかしそこから出発するというのも立原道造に近い。

原日本語と詩の新しい場

野村　そろそろ終りが近くなっていますが最後にせっかく福田さんをお招きしていますので、安藤元雄の詩の世界から福田拓也への連続性と言いますかジャンプと言いますか、そういう問題をちょっと訊きたいと思います。安藤さんの詩集『樹下』において「詩を書くものの位置する場所が狭く縮減されぎりぎりな状態に還元されていく」と福田さんはコメントされたわけですが、それはもちろん安藤元雄という詩人が立とうとしてている固有の位置の存在論的な究明であるわけだけど、同時に我々の時代そのものを見たときにも詩人の位置はどんどん縮減されていると思うんです。たとえばゲラシム・リュカというシュルレアリスム系の詩人がいましたけど、リュカはこう言って自殺したんです、「現代文明社会には詩人の居場所はない」。そんなふうに詩人の場所は社会的に見てどんどん縮減されている。その悲しみや苛立ちがあり、しかしそこに最後の希望をかけてみようという安藤さんの現在の到達点があると思うんです。で、それを踏まえつつ、場所をもう少し広く捉えて、つまり時間軸も導入して、たとえば現代に詩人の居場所が縮減されてなくなりつつあるのだったら、もっと古代とか始源の方に行って、始源と現代を時間錯誤的につなげあわせたらまた一つの新しい詩の場所ができるかもしれない、そういう文脈で考えると、福田さんの発表された「原日本語論」、日本語が漢字に出会った瞬間になにが起こったかを想像力の範囲で捉えようとしている福田さんの詩学は、新しい詩の場所の探究という面でもなにか可能性があるのではないかと思うんですけど。その辺を最後に語って下さい。

福田　『日本の起源』という本で、原日本語を考えた。倭語という、文字のなかった言葉が六世紀くらいまではあったわけです。六世紀半ば頃に訓読ということが行われて、文字のある原日本語ができたんですけど、それをじっくり考えるとんでもなく難しい問題で、訓読みのことを書くだけでも大変なんですけど、ましてや文字がなかったときどうだったか、小林秀雄の言うような「連結」だけではないだろうと思って書いたんです。それが詩の場所になるかはわからないけど、日本語はそういう暴力的な相互破壊の経験を経て生まれた言語です。「山」は中国語では「サン」というようなもともとの発音がある。他方日本では漢字がないままいろいろな言い方をしていたでしょうが例えば「やま」と言っていた。それが一緒になったとき、「山」を「やま」と読むようになった。原日本語の誕生です。

野村　それはそれまでの日本語、それまでの中国語の消滅する瞬間なんですね。

福田　はい。一見中国語の漢字は残っているようだけど「やま」という読みになってしまったことによって中国語としては死んでいるし、倭語の「やま」が漢字の読みという従属的な位置に置かれてしまったことによってもとの倭語は死んでしまう。

野村　言い換えると、それはある種の翻訳空間ですよね。

福田　訓読みは翻訳ではありますからね。それも面白い話で、日本語は音読しているとき翻訳しているという珍しい言語です。朗読の問題にもつながると思いますが。

野村　だから元の二つの言語が消滅した瞬間ぱっと幻想として両方の言語の間みたいな翻訳空間が現れるような感じがする。それがもし詩の場所だとしたら、たとえば安藤さんがこれまで実践されてきた翻訳という行為もまさに詩の場所であるわけで、まだまだ詩の場所はあるのではないか。

福田　そうですね。万葉集では漢字を仮名に使います。家持の時代にはかなり固定された仮名による一字一音式表記が使われるようになってきて漢字がいわば透明になり漢字独自の意味が出なくなっていますが、それ以前は仮名として用いられた漢字が独自の意味を主張するような使い方になっていて、「しらなく」を「白鳴」と書いたり、詩のように意味の二重性が出ている。「かがよう」なら「耀」と書かずに「蚊蛾欲布」と書く。そうすると火の周りに虫がいたさまを叙述していることになり、ただの「かがやく」にはない意味が付け加わって意味の複数性が生まれるんです。ある意味いい加減だけど面白い。わざとやっているから実験的な面もある。それを我々の祖先の万葉の詩人がやっていたんで、そういうことを意識することで、つまり訓読という暴力的、破壊的経験や仮名という意味の複数性産出の経験を意識することで、詩の新しい場が生まれ、現代詩も豊かになるかなと思います。

野村　そうなんです。それを強調したかった。ぼくは朝日カルチャーの講座でずっとマラルメをやっていて、きょうもその拾遺詩篇のひとつ「〈魂のすべてを凝縮させて……〉」を読んできたのですが、葉巻煙草を吸って煙を吐き出すとそれが輪っかを作りますよね、それを詩的にしゃれたイメージに仕立てたソネットなんですけど、筑摩の『全集』ですとたまたまそれが安藤元雄訳になっているんですね。で、その最後の二行を安藤訳で紹介しますと、「意味がはっきりし過ぎていては　帳消しだ／君の茫漠とした文学が」。つまりなにか一つの意味に局限するとそれはもう詩ではないということ。詩とは煙草の紫煙の輪のように輪郭はあるにしてもぼんやりと広がって何重もの意味を具えていく。たとえば翻訳でフランス語と日本語が出会ったり、いまの福田さんの話のように操作によってとんでもない意味が生じてしまったり、そういう出来事の中にこそ詩はある。そのことをみなさんにお伝えして締めくくります。実はきょう、この場に、安藤元雄さんご自身がおみえになっています。最後に安藤さん、ひとことお願いできますか。

安藤元雄　ぼくが生涯に書いた詩の数はわずかですが、この『詩集集成』が出版できたのは野村さんが後押しして下さったからです。また福田さんはぼくが去年出した『『悪の華』を読む』のいい書評を書いて下さった。詩は書くものではなくて読むものだというのがぼくの信念で、詩は読まれることによって書いた本人を越えてひろがる。今夜こういう会がもたれたのは読んでくれたお二人のおかげだと思います。詩はなかなか読まれません。ぼくの「初秋」も当時は四季派的な軽井沢の詩でだめだと批判されましたが、今日はちゃんと読んでもらえて嬉しく思います。また井川博年さんはこの『詩集集成』について、安藤の詩の原点は戦争体験にある、そこから発して一種の実存主義文学を作ったのではないか、これは日本では非常に珍しい種類の詩だという手紙をくれた。まさか自分ではサルトルばりの実存主義者だとは思いませんけど、根底に戦争体験があることは事実です。小学校のころ学童疎開で、お前たちは米食い虫だと言われた。つまりマイナスの価値しかない。それをプラスに転化するにはお国のために戦って死ぬしかないと教えられた。それに対する反発、というよりも情なさ、やりきれなさでずっと書いてきたようなものです。今日はどうもありがとうございました。

安藤元雄氏（中央）とともに

VS 阿部日奈子

未知への痕跡

―読む行為が書く行為に変わる瞬間―

2019.11.2

第一部　ルネ・シャール

野村　「野村喜和夫の詩歌道行」の第三回として、阿部日奈子さんをお迎えしました。阿部さんについては今更紹介するまでもないと思いますが、個人的な関わりで言いますと、歴程新鋭賞の第一回受賞者が阿部さんです。ぼくも四回目ぐらいで歴程新鋭賞をもらっていますので、そのラインでのぼくの先輩なんです。そういう意味でぼくにとっては阿部さんは非常にゆかりのある詩人です。

阿部　あのころは歴程に入沢康夫さんも那珂太郎さんもいらして、そういう方々が選考して下さったんですね。

野村　阿部さんはその後も高見順賞を二〇〇二年に受賞されています。ぼくが見たところ、ほとんど類例のないぐらい知性あふれる、同時に奔放な想像力をお持ちの方でその両輪で非常にユニークで優れた作品を書き続けてこられた方です。一篇一篇は長めのものが多く、しかも非常に濃密なんですが、まとまった詩集としてはとても寡作な印象を受けます。五年か十年に一度くらいしかお出しにならず、創作にかなり時間をかけているのかと思います。そんな阿部さんをお迎えしました。ぼくのほうも偶々今年の夏に『ルネ・シャール詩集　評伝を添えて』という訳詩集を出しまして、阿部さんがルネ・シャールのことを聞きたいということなので、この詩人について、そして阿部さんの詩の世界について議論しながら、「未知への痕跡─読む行為が書く行為に変わる瞬間─」を探っていきたいと思います。

阿部　まずルネ・シャールからいきたいのですが。なにしろとても大きな詩人ですので。野村さん訳の『ルネ・シャール詩集』をお読みになっている方はたくさんいらっしゃると思うんですけど、みなさんの中でもわかりにくいという感想はあるんじゃないかと思うんです。さきほど今日のタイトルを「未知への痕跡」というふうに紹介して下さいましたけど、ルネ・シャールの詩に「未知」「痕跡」という言葉が出てきます。野村さんはこの『ルネ・シャール詩集』の中で前半はルネ・シャールの詩を翻訳し、後半に評伝を書いていらっしゃる。その評伝では、生まれた時から最期までシャールの人生を追っていってそのときどきの詩を引用していらっしゃいます。評伝を読む方としては人生を辿りながらその時期の代表作、一番ルネ・シャールらしい作品を読むことができるので大変いい試みだと思うんですけど、その評伝中の引用に「未知」という言葉が出てきます。「おのれのまえの未知なくして、どうして生きられようか」。これはルネ・シャールの詩集『粉砕された詩』の冒頭の梗概からお引きになっている。梗概自体は訳されていませんが、ここは大事だと思って引用されたのですね。この一文はそれほど難しくなくて、まだ見たことのない、形になっていないものに手を伸ばす、そのことが生きることなんだ、だから未知なくして自分は生きられない。シャールにとっては生きるということは詩人であるということなので、シャールの詩の魂のようなものと取ってよろしいかと思うんです。「痕跡」の

阿部日奈子

方はどこにあるかというと、『図書館は火と燃えて』という詩集の中に「庭の仲間たち」という詩があって、そこに、これも野村さんが解説で引いていらっしゃるんですが、「詩人は、彼が通過したということの、証拠ではなく、痕跡を残さなくてはならない。痕跡だけが夢見させるのだ」という言葉があります。「証拠」というのはアリバイみたいな感じだけど、「痕跡」のほうは誰に気づかれないとしてもそこに残していくもの、というふうに私は理解しました。私のルネ・シャールへの接近ということについてお話しますと、たとえばミシェル・フーコーとかいろんな人がちょっとずつエピグラフのようにシャールの詩を引いたりしている、そういうことでまず知って、なにかとても深遠そうだなと思いました。初めて全部を読んだのは一九九九年に青土社から『ルネ・シャール全詩集』が出たときで、これで読んでみて逆にすごく困惑してしまった。エピグラフなどちょっと取ってきた詩句ではすごく感じるものがあったのに、全部を読んだらとても難しかったということがあったのです。たぶん野村さんは私と違って最初からルネ・シャールという大きな山に取り付いたということですよね。そこら辺をお聞かせいただければと思います。

野村　思い出話になってしまいますけど、二十代の半ば頃、詩を書き始めて何年か経って、どう書いていったらいいか迷っていたときにひょんなことからルネ・シャールに出くわしました。

阿部　ひょんなこととはなんですか？

野村　もともとランボーをやっていたんです。ランボーを研究していると、いろんな研究者の論文の中にルネ・シャールという名前が出てくる。どういう文脈で出てくるのかというと、ランボーは系譜を持たない詩人と言われているんです。突然変異的に出てきて、彗星のように消えていきました。

阿部　ランボーの前にランボーなし、ランボーの後にランボーなし、ですね。

野村　おっしゃる通りで、系譜がないんです。ところが唯一例外があるとすればルネ・シャールではないか、ルネ・シャールは二十世紀のランボーかもしれないという評価があります。そうなんだ、そんな詩人がいるんだということで、関心を持って読み始めたのがそもそもの「ひょんなこと」なんです。たちまちはまりまして、大げさにいいますとぼくの第一詩集『川萎え』はおそらくルネ・シャールを読んでなければ成り立ち得なかったところがあるような気がします。それぐらい深く影響を受けました。ランボーを読んでルネ・シャールに辿り着いて、ランボーよりもルネ・シャールのほうからたくさん影響を受けている。そんな感じです。ルネ・シャール自身はランボーに非常に影響を受けているんですね。さきほど阿部さんが指摘された「未知」という言葉もランボーから引っ張ってきていますから。ルネ・シャールが「未知」と言うときに必ずランボーのキーコンセプトである「未知」が念頭にあったに違いありません。そんな訳で、ランボー、シャールと辿っていって、ぼく自身の詩の世界を見つけたみたいなところがあります。あとは、一九九九年に『ルネ・シャール全詩集』が吉本素子さんという方の訳によって出て、ぼくも早速目を通したんですけど、え、待てよ、と思ったんです。これはぼくが今まで読んできたルネ・シャールだろうかと。訳者には厳しい言い方になりますけど。ちょっと違うんじゃないか、これはもうぼく自身が翻訳するしかないなと思ってひそかに訳し始めたというのが事実です。

阿部　評伝のところでもランボーとの生い立ちの類似性を指摘していらっしゃいます。田舎のリセで反抗的な子供として育ち、先輩詩人に認められてパリに出てくる。そういうところは確かに似てますよね。

野村　反抗ということですよね。ランボーも大変な反抗児だったわけですけど、ルネ・シャールもそうでして、最終学歴は恐らく高校中退ぐらいですかね、すごく頭のいい子供だったんですけれども、バカロレア（大学入学資格）を取得してないんです。それぐらい反抗児だった。もう一つ似ているのは、自然に対する感受性が深いといいますか、ランボーもルネ・シャールも田舎者なんです。子供の頃から自然に接していた。それがルネ・シャールの詩的風土を形づくってゆくわけです。もう一つ、さらに根本的に似ているのは、家庭ですね。ファミリーロマンスと言いますか、ランボーはお父さんはいたんですけど家に寄り付かなくてほとんど母子家庭的に育てられた。お母さんの強力な支配統制の下にかなり窮屈な幼少期を送ったということがあり、それへの反抗もあった。ルネ・シャールも似ていまして、お父さんが早くに亡くなってしまう。そしてお母さんがランボーのお母さんと同じように強権を揮って子供に接した。そこで子供のルネ少年はお母さんに反抗していった。その経緯もちょっと似ている。だからいろんな面で似ています。

阿部 反抗プラス早熟。フランスってドイツと違って早熟の才能を非常に愛でる。ドイツのビルドゥングスロマンみたいに人生をかけて成熟していくのではなく、非常に若いときに突出して出てくるという人をとても大切にするのがフランスではないか。

野村 それもランボーが多少神話を作ったのかもしれません。たとえばラディゲとかコクトーなんかもそうですよね。十代のうちに詩集を作っていますから。その点ルネ・シャールはやや奥手でして、詩人としてひろく認められたのは戦後になってからなんです。

阿部 認められたのは後でも、第一詩集の自費出版は二十一歳ですよね。不思議なのは、二十代で毎年のように詩集を出している。その資金はどうしたのでしょうか。

野村 ぼくにもわかりません。ただルネ・シャールの父親は南フランスのプロヴァンス地方の小さな町リル＝シュル＝ラ＝ソルグで石膏業を成功させた事業家で、のちにはその町の町長になっているんです。つまり地元の名士の家で、広大な屋敷に住んでいた。ですからもともと実家はお金持ちだったんでしょうが、途中でお父さんが亡くなるとともに石膏所がだめになって没落する。若きルネ・シャールが一度建て直そうとするんですけど、それも失敗に終わる。ですからルネ・シャールがどうやって生計を立てていたかはぼくぐらいのいい加減な研究者ではわからない。

阿部 お父さんが早くに亡くなり、お母さんはどちらかというとルネ・シャールのお兄さんの方を贔屓しているという家庭の中で一体誰がルネ・シャールの味方になってくれたのか、お姉さんくらいでしょうか。

野村　お姉さんとは非常に仲が良かったですね。

阿部　丁度他のことでロジェ・ジルベール＝ルコントという詩人を読んでいて、シャールと生まれが一月しか違わない。一九〇七年の、シャールが六月、ジルベール＝ルコントは五月。同じように地方のリセで優等生だったんだけどやはり反抗児になってパリへ出てきて、仲間と同人誌だのなんだのをやる。ただジルベール＝ルコントはとてもお金に苦労をしているんです。その所為もあってかコカインの中毒で一九四三年に三十五歳で死んでしまうんですが、同人誌一つ出すにしても大変なわけじゃないですか。アンドレ・ブルトンとの関係とか、ジルベール＝ルコントとシャールとは共通の経験をしていて、年譜を二つ並べると面白いことが出てくるんじゃないかと思うくらいなんですが、境遇があまりに違っている。ジルベール＝ルコントはパリに行っても家賃が払えなくなって追い出されたりして、可哀想なんです。それでちょっと気になったわけですが、ルネ・シャールはおそらくお家の財産で詩集が出ていたんでしょうね。

野村　すくなくとも初期の頃はそうでしょう。それからもう一つ言えるのは、ルネ・シャールに限りませんけど、シュルレアリストたちの生計の立て方ですね。それを彼らのそばで学んだと思うんです。とくにエリュアール。それでシャールも実行したんじゃないかと思われるんです。それは美術家と組んで豪華な詩画集を作って、また日本で言うと色紙みたいな、自筆で原稿を書いて、それに画家が版画をつけて見開きの小冊子のようにして、コレクターに売るんです。向こうはそういう収集家がいましてそれでエリュアールやブルトンはお金を得ていたようなところがあるので、シャールもいろんな画家たちとコラボレーションをして小冊子や小さな詩画集をどんどん作っていったわけなんです。それで生計を得ていたところがあるのではないか。ただ確かに定職には就いたことはないですね。

阿部　そう、生涯を通じてね。

野村　シャールの詩は難解なので全然売れなかったんです。生涯を通しても数万部ぐらいしか売れなかったようです。だから書くことによっては食えなかった。もう一つ考えられるのは、女ですね。ルネ・シャールは大変な猟色家でして……

阿部　一九〇センチくらいの偉丈夫だそうで、かっこよかった。

野村　女にもてたんでしょうね。何十人となく付き合ったんですね。その中にはたとえばイヴォンヌ・ゼルヴォスという画廊主のようなパトロン的存在もいたんですね。リルケみたいなもんです。そういうパトロン的存在がルネ・シャールを支援していたということは考えられますね。あとは福田さんに聞きましょう。

福田拓也　エリュアールは父親が不動産で当てたんです。それで美術作品を買ったりしていたんです。

阿部　そういうバックグラウンドがあるんですね。余裕がない私たちとしてはちょっと妬ましい話です。経済の話ばかりしていてはだめなので話を戻しますが、野村さんが自分の詩の核にするくらいルネ・シャールに惹き付けられたというのは本当のことだと思うんですけど、今の日本の現状を見たときに、ルネ・シャールはどれくらい人々に理解されているか、読まれているかと言えば、受け入れられているとは言い難い。ランボーとかボードレールなんかはみなさん好きで読んでもいるだろうし、分かりやすいといえば分かりやすい。ルネ・シャールはそうはいきません。フーコーを読んでその中にルネ・シャールが引かれている、モーリス・ブランショがシャールを論じている、彼らが認める人だからきっと素晴らしいんだろうみたいなことで近づいていく私と同じような人たちはたくさんいると思うんですが、そこから先が難しい。この間、知り合いと話しているときに、二十世紀のフランス詩人の中ですごく偉大なのに日本ではなかなか受け入れられない人として、サン＝ジョン・ペルスとルネ・シャールの名前が挙がったんですね。ああ成る程という気がした。さっき野村さんがルネ・シャールは自然に親しんでいて自然を描いているとおっしゃったけれど、そこに描かれた自然は、たとえばフィリップ・ジャコテが書いているような、日本人でも感情移入できる自然ではない。サン＝ジョン・ペルスの場合も自然はなにか崇高な霧をまとっているようで、それが日本人には分かりにくい。こうした分かりにくさのひとつは、原語のフランス語で読んでいるわけではないことからくるものでしょう。もうひとつは、ペルスもシャールも詩の背後に思想がある。ルネ・シャール自身は思想書を書いているわけではないので詩から読み取るということになるのですが、これが大変難しい。つまりフランス語と思想、二つの壁があります。まずルネ・シャールのフランス語ということについてうかがいたいんですけど、野村さんは「シャールの詩的言語の様態をまとめておくと、なによりもメタファーの駆使による簡潔と省略と凝縮の語法を第一の特徴とする」と言っています。メタファーの駆使は読めば分かります。省略と凝縮の語法というのはどんなものなのですか。

野村　シンタックスをぎゅっと詰めちゃうんですね。それで、読んでも脈絡がとれなくなったりする場合がある。シャール作品を読むということは、それに耐えられるかどうかなんです。読んでも分断される、文脈がつながらない。そこに生じた断絶なり分断線なりを一種のポエジーとして受け止めることができるかどうかが、ルネ・シャールを読むことができるかできないかの試金石になるんですね。その省略に耐えられない人はなにが書いてあるのかわからないとおっぽり投げてしまう。省略に耐えられる人は、それこそ譬えになって申し訳ないんですけど、夜の闇に稲妻がぴかりと光る、あの稲妻のようにシャールの言葉を受け止めることができる。あるいはシャール自身が稲妻の閃光の比喩を出しますよね、「もしもわれわれが閃光に住まうなら、閃光こそは永遠なるものの心」というふうに。閃光を閃光として受け止めればいいんだと考えるとなんとなく省略に耐えられるような気もするんですけどね。

阿部　たしかにディディエ・エリボンの『ミシェル・フーコー伝』（田村俶訳）の扉にルネ・シャー

ルの詩句が載っていて、野村訳では「閃光は私において持続する」、田村訳だと「一瞬の稲光がぼくには長い」となっていますが、光が照らし出すものをつかんだと思える人がルネ・シャールの詩を読みつづけ、省略と凝縮をわからない人は、離れていってしまう訳なんですね。

野村　そうかもしれません。ですからけっこうフランスでもルネ・シャールを拒む人はいるんですね。第一、最初のルネ・シャールの研究書を書いたジョルジュ・ムーナンという批評家が言っています、自分はルネ・シャールについて一冊の本を書いたけど、実はルネ・シャールの半分ぐらいしか分かっていないと。だから必ずしもフランスで国民的な名詩人になっているかというとそうではない。一部にしか理解されない神秘的な魅力を持つ詩人というイメージですね。

阿部　ジャック・プレヴェールのような、みんなに愛される詩人ではない、ということですね。野村さんの解説を読むと、シャールのフランス語は通常のフランス語とは違う、半ば外国語のような様相を呈しているとありますが、どういうことですか。

野村　ひとつにはやはり、シンタックスの凝縮あるいは省略ですね。たとえばここからここへは接続詞が必要なのにそれがないとか、名詞構文のように単語自体は際立つんですけど周りの文脈がないというような。フランス語をはじめとするヨーロッパ語は大体そうですけど、かなりきっちりとしたシンタックスで運ばれていかないと意味も運ばれていかないわけなんですけど、名詞単位が非常に強烈に独立していて、動詞の部分がないと言ったらいいか。もう一つは、透明さがないんです。フランス語はある意味人工的な言語でして、とくにインテリが書いたり読んだりするようなフランス語は非常に明晰なんです。ところがルネ・シャールの詩的言語は、印象ですけど、なにか透明さがなくて、その背後にある自然なり事物なりの影みたいなものを微妙に背負っているようなところがあって、つまり不透明な重みがあるんです。言い換えると、典型的な知識人がパリの都市空間の中で生きながら綴っていく言語というものがあるとすると、ルネ・シャールの場合は田舎の非常に自然に近いところで精錬された言語、土や空気やいろんなものの色や音や香りなんかがくっついてしまった言語を発している るようなところがある。ぼくも評伝の書き出しのところで書いているんですけど、敢えて言えば、宮沢賢治のあのイーハトーブみたいな、独特の自然との交流の中にあったような、そういうルネ・シャールの詩的風土が非常に強く感じられる。詩的言語にそれが反映されているんですね。

阿部　あとで野村さんに「鮫と鷗」というシャールの詩の朗読をお願いするんですけど、あの詩の中にも非常に具体的な強い名詞が出てきますよね。「海」とか、「鮫」「鷗」など。だけど全体は非常に抽象的なことになっていて、一つ一つの名詞はくっきりしているにもかかわらず、述語というか動詞がどうつながっているのかちょっとわからない。この「鮫と鷗」はフーコーがとても好きだった詩で、暗唱もしていたし人にも聞かせていたそうです。後で披露いたしますが、その前に、二つめの壁、思想の問題についておたずねします。今の野村さんのご説明でルネ・シャールのフランス語のある種の特殊性も分かりましたし、野村さんが意味よりなによりもシャールの言語感覚に惹かれて『川萎え』を書かれたことも分かるような気がしました。さて野村さんは、ルネ・シャールの思想についてはどう考えていらっしゃるのか。評伝を読んでいけば、反抗児としてパリに出てきてシュルレアリスム運動に参加し、しかしそこからも離れて、第二次世界大戦下ではレジスタンスにかなり深く関わっていく……

野村　そうですね、一般にルネ・シャールというとレジスタンスの詩人ということになっていまして、いろんな人がいろんな形でレジスタンスに関わったわけですけど、ルネ・シャールの場合は本当に最前線で、アレクサンドルという偽名を使って地下に潜ってゲリラ活動をやった。明日をも知れぬ命の中に自ら入り込んでいった。それが他の詩人たち文学者たちのレジスタンスとちょっと違うところです。

阿部　レジスタンスでは部下を死なせたりという悲劇もあった。追悼のとても素晴らしい詩も書いていますね。そういう詩は私にも素直に響いてきます。シャール自身は三十代にかかろうという頃ですね。で、レジスタンスに加わって、普通だと解放・勝利した後は英雄になるところなんですけど、ところがシャールはレジスタンスがナショナリズムに回収されるのを嫌って、レジスタンスは愛国の運動ではなくもっと大きく自由を求める運動だということで、またここで立場が微妙になってくるわけですね。そうすると、シャールの全体の思想は、すごく大雑把に言ってしまうと、私はやっぱり実存主義だと思うんですけど、いかがでしょうか。野村さんは評伝の中でも、いかにシャールが超越を退けて、大地とともに生きる人間の存在を自分の詩の核にしているか、大地的な人間が持つアナーキーな力を信じているか、ということを書いているんですけど、それでいて実存主義という言葉を避けていらっしゃるようにも見えます。実存という言葉はたくさん出てくるのですが。

野村　いやはや、鋭いご指摘ですね。自分ではあまり気づきませんでした。あるいは、無意識のうちに言わなかったのかもしれません。

阿部　それはなにかあるんですか。

野村　なんでしょうね。思想的な文脈で言うと、ルネ・シャールはカミュの親友だったんです。サルトルについてはあまり言及がないんですけど、おそらくあまり好きではなかったと思う。ご存知のようにサルトルとカミュの間では革命なりなんなりをめぐって意見の対立がありましたから、ルネ・シャールも革命か反抗かという二者択一に迫られたときにはやはり反抗を選ぶ。

阿部　アナーキーな方ですね。

野村　そう、本質的な意味でのアナーキストですね。革命というとどうしても集団の利益なり論理なりがまず優先されてしまうことにルネ・シャールは根本的な怖れみたいなものを持っていました。ですから多くのシュルレアリストたちが途中から共産党に入るんですけれどルネ・シャールは入らなかった、距離をとった。人間の根本的な自由はもっと別の、もっと聖なるものなんだろうという思いがルネ・シャールの中にあったような気がしますね。

阿部　かなり直感的な人ですか。

野村　直観しかなかった人です。

阿部　シャールの読書歴もそんなにはっきりと書き残されているわけではないですが、評伝によると、弁証法の祖みたいなヘラクレイトスから始まって、ニーチェを経て戦後はハイデガーまで行く。ということは大きくは実存主義の流れかと思うんですけど、野村さんがその言葉を避けているように見えるのは、日本だとサルトル＝実存主義みたいなところがあって、とくにサルトルの実存主義の投企やアンガージュが、イデオロギーとして広まっているという事情がある。野村さんはそれを嫌って、実存主義の一語をお使いにならなかったのかなという気はしました。

野村　サルトルが主張しているような投企とかアンガージュマンと、シャールのレジスタンスとかはちょっと違うような気がするんです。あくまでもサルトルの場合は一知識人の立場として、投企＝身を投げ出すこと、アンガージュマン＝参加すること、を唱えて、革命や社会変革に関わっていくという動線がありますよね。シャールの場合はあらかじめの知識人の立場がないと言いますか、最初からアンガージュマンの中にいたり、投企の中にいたりするので、わざわざそんなことを言う必要がない。生まれながらに自分はアンガージュマンだ、なぜなら生まれた大地がそのように自分をしむけるのであって、けっしてサルトルのように頭で考えてそこに飛び込むというのではない、大地が命令している、それに従っているだけみたいな、それがたまたま反抗になったり、アンガージュマンになったりするのかもしれないけれども、それは言ってみれば生まれながらのもので、別に知識人の自己規定としてそういうことを自分はしているわけではないという、そんな思いがあったのではないか。

阿部　確かにそれはそうかもしれない、大地への信頼ですね。でもシャールと二十一世紀ということになると、さすがの野村さんでも、シャールの射程に陰りが見えるということをお書きですね。いまおっしゃったような大地的なものが、今の私たちの生活からは失われているし、世界は情報の集積になってしまった観があります。さきほどの「証拠」か「痕跡」かで言ったら「証拠」、エヴィデンスばかりを求められる世界になりつつありますが、そうなったときにはたしてシャールの詩は生き延びていけるんだろうか。

野村　難しいですね。つまり逆説的に言えば、たぶん「最後の詩人」になるんじゃないかなという気がしますね。シャールがランボーについてこう言っているんです。「ランボーはまだ現われていない文明の最初の詩人である」、そして自分はランボーの後に続こうとしたわけですが、ランボーにとっての「まだ現われていない文明」というのがもう現れないままか、多少とも現われはしたがいまや消えつつあるような気がするんです。そこにシャールも属そうとしたわけですから、結局、消えつつある文明の最後の詩人ではないかという気がするんです。ちょっとパラドックスですけど、つまりシャールのような詩人はこれから生き延びるのが難しいのではないかと思うんです。百年ぐらい経ったらわかりませんけど。

阿部　今は、ドン・キホーテ的にしか受け取られないかもしれないということですね。

野村　世界の社会経済システムが破綻して、温暖化が進んで、そうしてやがて人類が滅びて、次の人類が来たときにもしかしたら甦るかもしれませんけど、このままの文明が続くと、シャールのような詩人が読まれるのは難しい。

阿部　そこのところの判断は、今の世界をどう見るかにもよっている……

野村　シャール自身が現代文明について絶望していますからね。

阿部　確かにその通りですね。とくに晩年の詩にはそれが色濃く出ていますね。

野村　その辺がシャールを批判する人には論点になるんです。ハイデガーと同じで、現代の技術文明をただやみくもに拒否しているだけであると思われてしまう。

阿部　なるほど。たぶん技術文明の話は対談の後半でも出てくると思います。これで一通りシャールの世界というものを少なくとも撫でることはできたと思うので、ここで先程予告した、フーコーが大好きな詩を読みたい。フーコーの処女作は『狂気の歴史』ですが、その前にビンスワンガーの本に序論を書いていて、その中でもシャールを四ヵ所くらい引用していますし、『狂気の歴史』では、シャールの詩の中に真理というものがうかがえる、と前置きしたうえで、詩を引用しているくらいです。シャール好きのフーコーがなかでも愛した「鮫と鷗（Le REQUIN et la MOUETTE）」を読みたいと思います。さきほど野村さんがおっしゃった、言葉として非常に強い印象的な名詞はあるんだけど、全体は非常に抽象的になっている。私もこれを読んで、たぶんすごい詩なんだろうとは感じるんですけれど、とても難しいと思いました。私が和訳を読んで、そこを野村さんにフランス語で朗読していただきます。

野村　下手なフランス語で申し訳ないですが、阿部さんのたってのリクエストですので恥を忍んで読みます。

鮫と鷗

私はついに目にしている。三重の調和のうちにある海を。不条理な苦痛の王朝をその上弦の月で断ち切る海、野生の巨大な鳥かご、そして昼顔のように信じやすい海。

Je vois enfin la mer dans sa triple harmonie, la mer qui tranche de son croissant la dynastie des douleurs absurdes, la grande volière sauvage, la mer crédule comme un liseron.

私が「私は法を排除した」「道徳を乗り越えた」「心をつないだ」と言うとき、それは、私の説得を越えて、

ざわめきがその棕櫚を広げる虚無の秤を前にして、自分を正当化したいがためではない。
Quand je dis : j'ai levé la loi, j'ai franchi la morale, j'ai maillé le cœur, ce n'est pas pour me donner raison devant ce pèse-néant dont la rumeur étend sa palme au delà de me persuasion.
しかし、いままで私が生き行動するのを見てきた何者も、このあたりでは証人とならない。私の肩はまどろむことができ、私の青春は駆けつけることができる。ただそのことからのみ、効力ある即時の富を引き出さなければならない。
Mais rien de ce qui m'a vu vivre et agir jusqu'ici n'est témoin alentour. Mon épaule peut bien sommeiller, ma jeunesse accourir. C'est de cela seul qu'il faut tirer richesse immédiate et opérante.
こうして、一年のうちには、至純な一日というものがあるものだ、海の泡のなかにすばらしい歩廊をうがつ一日、眼の高さまでのぼってきて正午に冠をかぶせる一日が。
Ainsi, il y a un jour de pur dans l'année, un jour qui creuse sa galerie merveilleuse dans l'écume de la mer, un jour qui monte aux yeux pour couronner midi.
きのう、気高さは荒涼として、枝は芽からへだてられていた。鮫と鷗は交わらなかった。
Hier la noblesse était déserte, le rameau était distant de ses bourgeons. Le requin et la mouette ne communiquaient pas.
おお、あなた、磨き立てる岸辺の虹よ、船を希望へと近づけよ。推測されるどんな終わりも、朝のけだるさによろめく人々にとって、まあたらしい無垢、熱に浮かされた前進となるようにせよ。
O Vous, arc-en-ciel de ce rivage polisseur, approchez le navire de son espérance. Faites que toute fin supposée soit une neuve innocence, un fiévreux en-avant pour ceux qui

trébuchent dans la matinale lourdeur.

阿部 最初に「三重の調和」とあって、確かに三対の組み合わせが示されます。「私は法を排除した」「道徳を乗り越えた」「心をつないだ」など、三つの組み合わせが繰り返し出てきますが、これは三位一体みたいに、三つで世界を支えているというような意味があるのかどうか。また大変に強い名詞がたくさん出てくるだけではなく、イメージも「海の泡のなかにすばらしい歩廊をうがつ一日」なんて、息を呑むほど美しい。メタファーに魅せられます。けれども、じゃあこの詩が分かるかというと分からなくて、福田さんに解説をお願いしたいくらいです。

福田拓也 ぼくはほとんどシャールの詩は分からないんです。ブーレーズが曲をつけている「ル・マルトー・サン・メートル」などシュルレアリスム時代の詩の方は好きなんですけど、それ以降の詩はあまり分からない。ただ、私のフランスでの指導教授がシャールの専門家のジャン＝クロード・マチューで、彼が二巻本のすごく細かい研究書を書いていて、それを読ませてもらったんですけど、音がやっぱり大事なんですね。同じ音がすごく繰り返されていて、おやじギャグにも無意識の思考が隠されているというフロイト流の考えにもあるように、同じ音の繰り返しから何らかの意味が生まれてくるわけで、そこがすごく解明されていて、それを読んでシャールは面白いなあと思いました。つまり翻訳されると全然分からなくなってしまうけど、非常に同じ音の繰り返しが多いんですよ。言葉が出てくるとき、意味で出てくるのではなくて音に引きずられて出てくることが非常に多い。

野村 それは韻とかではなくて、ソシュール的な言葉で言えば、シニフィアンが先行していくんですね。

阿部 でもだからといってダダイズムみたいに言葉を解体するというわけではないんですよね。

野村 ええ。ものすごい構築性がありますから。自動記述でもないですし。じゃあなんなのか。

阿部　そこが難しいんです。有働さんはどう読まれますか。

有働薫　私はシャールは「イプノスの手帖」から入りました（この詩集は対独レジスタンス活動を主題にしている）。ですからそれ以前のシャールについては今日のお話で目の覚めるような思いでした。日本でもやはり東大の先生たちはシャールを否定していたんですよね、最初は。十年ぐらいは否定されていた。ですから野村さんなんかが最初に本当に読まれたんじゃないかなと思います。

野村　そうですね、ぼくより上の世代ではあまりシャールを研究した人はいませんからね。

有働薫　学校で勉強した言葉ではないんですね。地方の、土着の人たちの言葉であって、シャールはそれを掬い上げる力をもっていたのではないでしょうか。

野村　そう。たとえばドゥルーズが言うところのマイナー言語、中央ではない地方語、賢治なんかにもそういうところがあるかもしれませんが、そういうマイナー言語のもつ荒々しさや非フランス語的なマージナルな魅力もあるような気がします。もともと南フランスは歴史的にも言語的にも北フランスとは半分国が違うようなところがありますから、そういう南フランス的な伝統、南フランス人という人間の連続性みたいなものがシャールの中に生きているという気がしますね。それこそ遡ればトルバドール、吟遊詩人になるような。

阿部　そこにポエジーの可能性を見たということですね。

野村　実際シャールの生まれ故郷のすぐ近くにヴォークリューズという景勝地がありまして、ぼくも行きましたけど、そこがペトラルカに縁がある地なんですね。そういう南ヨーロッパ的ななにか、もっと遡れば古代ギリシアのヘラクレイトスにまで至るような、そこで行われていた自然と人間の神秘的な交感みたいなものがシャールの中にもある種のＤＮＡとして入っているような気がするんです。それは都会的、北方的なパリの知識人には分からないようなものだったのではないか。フーコーが分かったというのはすごいですけどね。

第二部　阿部日奈子の詩の世界

野村　後半は阿部さんの詩の世界において読む行為が書く行為に切り替わる瞬間をなんとかして稲妻捕りのように捉えてみたいと思います。阿部さんの作品の背景には非常に豊かな教養のバックグラウンドが感じられます。ある時期教養という言葉が何か古臭いものとして忌避されていました。教養よりもむしろ「知」という言葉で言い換えた方がなんとなくスタイリッシュと言うかポストモダン的だというのですね。

阿部　悦ばしき知、ですね。

野村　そう、盛んに言われていましたけど、でも教養はそういうことを超えた、人間にとって、とくに詩を書く者にとっては非常に重要な土壌だと思うんです。それぞれの詩人はそれぞれの教養をバックグラウンドにしているわけです。たとえばルネ・シャールの場合だとニーチェとかヘラクレイトスとかハイデガーとかですね。阿部さんの場合はそれが恐ろしく多様な気がするんです。たとえば、ぼくが最初にびっくりしたのは、『典雅ないきどおり』という一九九四年に出された詩集において、目次を見ると、それぞれの詩篇の下にすべて献辞がついているんです。それはすべて先行する作家、文学者、詩人たちの名前です。たとえば最初の「K」は「フランツ・カフカに」、それから「クマツヅラの薫り」は「ウィリアム・フォークナーに」、「典雅ないきどおり」は「ベルトルト・ブレヒトに」というふうに。ということは逆に言うと、先行する文学者、たとえばカフカならカフカのある作品を基点にして、いわゆるプレテクストにして、自分のテクストを編んでいくという書き方、スタイルが徹底されているんです。この本を見たとき、そのことにびっくりしました。そこから阿部さんの独特のアイロニーとユーモアに満ちた、ある場合はきわめてエロティシズムに溢れた作品世界が築き上げられているんですけれど、その関係、先行するテクストと阿部さんの創作行為との関係をまず一つお聞きしたいということがあります。それともう一つ、今年の秋に『素晴らしい低空飛行』という新しい詩集を刊行されたわけですが、十年ぶりぐらいですよね。

阿部　『キンディッシュ』が二〇一二年なのでそんなには経ってないです。その前がだいぶん空いたんですが。

野村　そうでしたか。で、今回刊行された詩集を拝読してみますと、ちょっと雰囲気が違っているんです。『典雅ないきどおり』やその次の『海曜日の女たち』の世界から比べると、『素晴らしい低空飛行』はあきらかにちがっていて、つまり同一の作者の中での変化があるんです。そこでご本人はそれをどういうふうに捉えているのか。以上二点を聞いていこうと思うんですが、まず例が必要だと思いますので、ぼくが取り上げようと思うのは『海曜日の女たち』の中の「クラリッセ」という作品で、これがまた驚くべき作品なんですが、こういう但し書きが冒頭にあります。「ローベルト・ムシル『特性のない男』の登場人物クラリッセをヒロインに構想された四場のバレエ台本。」ムシルの『特性のない男』は二十世紀文学をプルーストの『失われた時を求めて』とともに代表するような長編ですけれども、それをプレテクストにして阿部さんの「クラリッセ」という作品があるわけで、しかもジャンルを変えて、元のテクストを「バレエ台本」にしている。登場人物などはほぼそっくり使いながら、一種の書き換えを行っている。なぜ『特性のない男』を基点にしたのですか。

阿部　『典雅ないきどおり』は、私がとりわけ偏愛している作家の作品世界の力を借りてそこから紡ぎ出した詩をまとめた詩集です。その中に本当はローベルト・ムシルも入れたかったのですが、間に合いませんでした。それで次の『海曜日の女たち』に「クラリッセ」を入れたわけですが、本来「クラリッセ」は『典雅ないきどおり』に入っているべき作品なんです。ルネ・シャールは二十代で何冊も詩集を出していますが、私はまるで早熟ではなくて、二十代の頃は『典雅ないきどおり』で取りあげた作家たちの本を、ただ読んでいるだけでした。自分が書くということは全然考えてなかったのです。

野村　あ、そうでしたか。

阿部　はい。三十代に入ってからですね、書き始めたのは。読んでいると、作家は男性が多いわけですが、その作品の中で扱われている女性に目が向きます。女性の側から作品を眺めたときに、また違う風景が見えてくるということがあって、それを書いてみたくなりました。たとえばカフカは婚約と婚約破棄を繰り返していますが、女性の側から事態を語るとどうなるのか。カフカの手紙は婚約者フェリーツェ・バウアーが自分の手元に残しておいた、だから今カフカの手紙として世に出ているわけです。ところが女の方がカフカに出した手紙は存在しない。もしかしたら関係が終わったところで始末したのかもしれないし、ユダヤ迫害の歴史の中で失われたのかもしれません。けれどあまりにも不均衡という気がして、手紙の保管者だった女が、書き手の男に問い返すような形で書いてみたら、と考えました。「典雅ないきどおり」のブレヒトも周りにいつも女性がいて、ブレヒトの創作を助けていた。愛はプロダクトだみたいなことを言って、実際には女性たちとの共同作業で作っていくんですけど、それはブレヒトの仕事ということになっているわけです。そういうことを女の側から見たらばどうなるんでしょうという試みが、この『典雅ないきどおり』なんですね。三島由紀夫の『サド侯爵夫人』でも、ルネじゃなくてルネの妹のアンヌの方に全体を語らせてみました。登場人物の視点をずらして語らせる、まあ脱構築みたいなことができたらいいな、と。で、ローベルト・ムシルの『特性のない男』は、『典雅ないきどおり』の時にはまだどうしたらいいかわからなくて、次の『海曜日の女たち』へと先送りしました。『特性のない男』は長い長い思想小説ですけれども、その中でクラリッセは狂気に至りそうな傾向を持っている登場人物。狂気とは何かということになりますが、さきほどのフーコーに照らすなら、彼は狂気にプラスを見る。ムシルも、クラリッセは狂人に近い、だからだめだというのではなく、クラリッセの内にいろんなことを見ているわけです。そのクラリッセを主人公にして、なにか書けないかと思いました。バレエ台本になったのは、ジャン・コクトーがロシアバレエ団バレエ・リュスのディアギレフのところでバレエ台本を書いていたのを、かねがね面白いと思っていたからです。バレエ・リュス自体が好きでしたし、バレエ台本という形にしてみようと思いました。もしも本当にこれが舞台になるとしたら、上杉満代というダンサー、ほっそりしているけど強靭な肉体を持っていて背中の筋肉なんかものすごくきれいな上杉さんに踊ってほしい。上杉満代は大野一雄の弟子ですが、大野一雄のコピーではなくて彼女だけの舞踏を持っている。そういう人に踊ってもらえたらいいなと、頭の中ではクラリッセ＝上杉満代という想像を働かせて書いた作品です。こうして振り返ってみますと、『典雅ないきどおり』の詩群や「クラリッセ」は、「読む行為から書く行為へ」という転換を示していますね。読んで、そこに解釈や批評が生じて、書くほうへと押し出される……。子供のころの読書は没入して自分がその作品の中に入り込むわけです。金髪でも西洋人でもないのに西洋の物語を読めばその登場人物になったような気持ちになって読んでいる。そこには歴史認識はありません。子供の読書はそういうものだと思うんですが、日本がドイツと組んで第二次世界大戦を戦ったなんてことは全く忘れて、ナチスに抵抗したソヴィエトの人たちに肩入れして、その人たちの一員であるような気で読んでいる。ところが大人になってくるに従って作品に没入したくてもできない部分が出てきます。それが書く契機ではないでしょうか。私も三十代ぐらいになったときに、それだったら語り直してみよう、書き直すことで元の作品には及びもつかないかもしれないけれど、違う視点を導入できるかもしれないと思いました。野村さんの場合は言語感覚ということを中心に書き始めたということで、ある意味非常に純粋な詩の書き方ですが、私の場合は批評が先行していた。

野村　さきほどちょっとおっしゃった脱構築という概念がありますけど、あるいはもう少し古くからある言葉で言うと換骨奪胎ですかね、それが実に見事なんです。今お話をうかがっているとそこに多少ともジェンダーが入ってくるんですね。

阿部　そうです。ここは非常に複雑なところで、男性作家が圧倒的に多いということを言いましたが、そこをひっくり返すために女性性みたいなものを使えるとしたらば、女性であることは不利ではない。女性の視点を通してみるという試みは、男性の書き手にはちょっと難しいかもしれない。

野村　それはわかります。それと、バレエ台本ということについてコクトーに刺戟されてとおっしゃいましたけど、バレエ台本という発想は実に鮮やかです。何度か阿部さんと街で出くわすことがあるんですが、それは大抵バレエやダンスの公演の会場なんですね。だから阿部さん御自身がダンスや舞踏がお好きなんだと思うんです。

阿部　はい、大好きですね。

野村　あずかって力があるのでしょう、バレエ台本にするという着想は他の人もできるかもしれないけれど、その中身にすごくリアリティがあるんです。こういうダンサーにこういう動きをさせたら面白いということが阿部さんの中にあって、つぎに、クラリッセという具体的な人物の所作をまるで阿部さんが振付けしているみたいに、そう、つまり詩的な言葉で振付けのノートが書かれていくような感じで作品が進むんですね。それが実に見事で、素敵で、読んでいて楽しいんです。いや阿部さんの方でも、おそらく具体的に誰に振付けをさせるかということも考えながら書かれていったと思うので、それなりに楽しかったのではないですか。

阿部　そう、楽しいですね。ルネ・シャールの詩も音楽になっているし、コクトーとバレエの関係を見ても、詩と舞台とが互いに触発し合っています。コクトーが台本を書いた作品は、いまや二十世紀のバレエの古典になりつつありますし。

野村　シャールも戦後すぐだったか少し色気を出してバレエ台本のようなものを書いているんです

ね。そんなに評判にはならなかったですが。映画も作ろうとして挫折しています。コクトーのような器用な人ではなかったので。

阿部　コクトーの場合はディアギレフとの組み合わせが非常によかった。ディアギレフが「私を驚かせてみたまえ」と挑発したという有名な逸話がありますけど、そう言われたら奮い立ってしまいますよね。とくに若い芸術家だったらば、よし、という気持ちになると思う。私がバレエ台本を書いたからといって上演されるわけでもないのは悲しいことですけど。

野村　同時に、おそらく、かなり上演不可能な部分もありますよね。とくに狂気との絡みはなかなか舞台化は難しいでしょうね。

阿部　でも、マッツ・エック振付けの『ジゼル』は精神病院が舞台です。精神病院を舞台にすることで、逆に正常ってなんだと問うような演劇とかバレエ作品とかは意外とあると思うんです。

野村　だいたいダンス自体が狂気ですからね。それを舞台で見せるということは狂気と正常の間の関係を逆転させると言いますか、我々も見ているうちに多少ともダンスの狂気を受け取りますしね。それによってなにか自分の中で生が更新されるところはあると思います。

阿部　さきほどのフランス語の明晰性ですけど、あまりにも明晰で合理的なものに囲まれて暮らしていたら、人間は息がつまってしまうという気がするんですね。とはいえ私も、最初の詩集からしばらくの間はある種明晰の極みみたいな言葉遣いを夢想していたところがありました。一つには八〇年代・九〇年代は多義性みたいなことがとても重んじられて、どうにでも受け取れる、いろんな解釈ができることが自由度の証だと思われているふしがありました。私はそれに疑問を感じていた。読む方の解釈はともかく、書く方はこれ以外には別な読みようがないというくらいのところまではっきりしたものを書きたいという欲望が私の中にあったんですね。だからある意味では辞書的、それも通り一遍の辞書ではなくて、ごくごく細かいところまでニュアンスを区分する架空の辞書に従って書かれたようなものを求めていた。正常の果ての狂気ではないですけど、極限まで正常を押し進めた果ての、何かが掴みたかった。多義性を回避して、かっちりとしたものを書きつつ、そこに先ほど野村さんがおっしゃってくださったアイロニーやユーモア、エロティシズムが出せたらと試みていました。ところがそうしているうちに、行き詰まるというか、自分の詩の世界がとても窮屈なものなってきたという感じが、この前の『キンディッシュ』あたりから少しずつしてきたんです。たぶんそれは世界のあり方と関係がある。シャールがドン・キホーテに見えてしまうような世界の変化ですね。自然がなくなって人工物に囲まれた生活になり、情報革命が産業革命以上の深度で私たちの実存を変えつつある。インターネット上では全ての言葉が電子化されていてそれをすぐ取り出せる、昔は真実を写すものだった写真が簡単に加工できてしまうというように、二十一世紀になってから表現のあり方も随分変わってきました。言葉が電子化されて、半面ではふわふわと浮力がついてきているのに、もう半面ではデノテーションで固まりかけている。浮力と強度、流動化と硬直が同時進行しているというか。こういうときにどんな言葉で書いていけばいいのか、考えました。

野村　大問題ですよね。

阿部　それで書いたのがこの『素晴らしい低空飛行』なんですけど、今までの私のものより、より現実との擦り合わせの中でものごとを書いていくという姿勢をとっていると思います。

野村　なるほど。最近阿部さんとメールのやりとりをしたときに、ぼくの方が『素晴らしい低空飛行』の感想をまず述べまして、これは前半は自伝的な書き方をされてますよねと訊いたことがあるんです。そうしたら阿部さんの答えは、いえ、フィクションです、ただ自分たちが生きた時代の痕跡を残したかったんだと。ですから自伝を装うようにして、ある時代の、もちろん現実そのものではないですけど、リアリティがすごく感じられるんです。これから世界がどう変わっていくかはともかくとして、一つの自分たちが生きられた時代は確固としてあったんだという、それがこの『素晴らしい低空飛行』のモチーフになっている。

阿部　そうですね。私が今年読んでとてもいいと思った長田典子さんの詩集『ニューヨーク・ディグ・ダグ』の中にも「リアリティ、ってなんなんだ」という問いかけが出てきて、それは私も感じていることなんですね。人間にとって自分が死ぬということは確かに圧倒的なリアリティだと思います。それからは人間は逃れられないので自分の死についてはどんな人もリアリティを感じると思うんですけど、それ以外のものについてどこまで私たちがリアリティを感じているかというと、痕跡でも証拠でも、すべてのものはどんどん流れ去ってしまう。一週間前にＩＳ指導者のバグダディが米軍特殊部隊に殺害されました。二〇一一年のビン・ラディン暗殺時には、世界に衝撃が走りましたが、今回私たちは自分でも何を感じているのかわからない状態です。どんな悲惨もすぐに忘れられるという状況の中で、果してリアリティとはなんでしょう。そこで『素晴らしい低空飛行』ですが、なにしろ低空飛行ですから「ハイ（high）」ではなくて「ロー（low）」なわけですね。ハイよりロー、スムースよりラフな言葉で書こうとした詩集です。「ラフ」というのはなかなか日本語になりにくい言葉で、荒っぽいでもないし、粗雑でもない、ざっくりした感じというか。私もリアリティをどう摑まえるのか、答えは出ていないんですけど、少なくともローでラフな言葉で書いてみることに可能性はあるのではないかという気がしているんです。

野村　ちょっと意味深長ですよね、この「低空飛行」というのは。より大地に近くということもありますし、ある種の危うさもある。

阿部　そう、いつ墜落するか分からないですから。

野村　その「低空飛行」に関して、詩誌「ユルトラ・バルズ」最新号にエッセイをお書きになっていますよね。

阿部　はい。いま低空飛行を強いられているような人たち、低賃金、低収入で生きていかなければならない人たちがたくさんいて、それで自殺をする人、犯罪に走る人もいると思います。そんななかで危なっかしくてもなんとか操縦桿を握ってもうちょっと行こうかと言っているような人たちが、私はとても好きなのです。この詩集の前半は、さきほど野村さんがおっしゃってくださったように、ある時代を生きた女——幻の女ですけども——の遍歴です。後半はいろんな人が出てきて操縦桿を握る。ちゃんとした計器もない飛行機で、レーダーもなく、頼れるのは自分の目だけ。目視で飛んでいくわけです。そういう条件下を必死に、けれども笑いながら飛んでいるような人たちを書けたならと思います。前半の女の遍歴も、大体東南アジアを彷徨っているんですけど、目視での飛行のようなものです。今だったら旅行に行くときにスマホがある、インターネットがある。だから情報はとれるし、その場で写真を撮って送ることができる。ところが詩の中の旅は一九八〇年代半ばくらいからの話なので、旅に出たらもうなにもないわけです。現地の言葉なり英語なりでその場の人たちと話を交わして、自分の目で見たものしか知り得ない。それを伝えようにも郵便局に行って手紙を出さなければならない。

野村　この詩集では手紙という形をとっていますね。

阿部　通信手段が手紙しかしかない旅だからこそ、詩に書ける気がしたんです。今みたいにどこへ行ってもつながっているような世界はある意味で詩を殺してしまうかもしれないという気がします。

野村　そういう意味では、旅も不可能になっていますよね。すくなくとも、阿部さんが言われるような意味での旅は不可能です。

阿部　手探りの、目の前のものしか分からない旅は不可能に近いですね。

野村　本来旅とはそういうものだと思うんですね。丁度我々が生まれ落ちたときのような状態、ちょっと実存主義的な言い方になりますけど、何の根拠もなくこの世に放り出されて、なんの手助けもなく生きなければならない我々の実存の根本的なありようを、旅は事後的に反復しているようなところがある。それが前半の東南アジアを彷徨う「私」という人称の中によく現われている感じがするんです。大丈夫かなと思いながら読みすすめました。

阿部 そう、心配な人です。

野村 いろんなところでいろんな職に就きながらなんとか切り抜けていって、今も生きているという、そこがリアリティのリアリティたるゆえんなんでしょうけど、でも旅ってそういうものだと思うんですよ。そして手紙という形式をここで選んでいるわけですけど、詩と手紙もすごく似ていますから。

阿部 投壜通信なんていうのもありますしね。

野村 そういう手紙、旅、詩、そういうものが今消えつつあるとしたら、ある意味この詩集は……

阿部 痕跡になればいいなと思います。

野村 痕跡でありレクイエムかもしれませんね。

阿部 詩集を出した後、なるほど低空飛行ですね、わたしたちみんなそうですねと、ご自身に引きつけて受け取って下さる方が大勢いて、大変嬉しく思っているんですけど、さて自分のこととなると、ここから先どこへ行ったらいいのかは私にも分からなくて……

野村 ぼくにも分かりません。

阿部 野村さんは詩集を出した後はどのようにして次へ向かわれますか。私はすごく難しくて、ある詩集を出した後、その次の方向を見出すまで、どうしてもしばらくは迷走してしまいます。いかがですか。

野村 ぼくも若い頃はそうでしたね。最初の詩集を出して、しばらくはその詩集を見るのも嫌で、半年ぐらい経ってようやく恐る恐る自分の書いたものを見ることができたりしたんです。おっしゃるように、その一冊の詩集の制作が終わるともう全てみたいな気がするじゃないですか、完結してしまっている。この先なにが書けるんだろうか、どうなるんだろうか、まったく見えてこない時期はもちろんありました。ところがある時期から、ペソアではないですけど、二通りあるいは三通りの書き方をして、いわば二人あるいは三人の詩人を自分の中に並存させて、まあそれはちょっと大げさですけど、要するにテーマや書き方を複数にして同時進行的にそれらを実現していくというふうにしているんです。そうすると多少は、複数性の強みと言いますか、ペソアほどのことはできないんですけど、そうやって自分を増殖なり分裂なりさせていく中でなにか可能性が見えてこないかなと、ある時期から考えて詩作しているんですけどね。

阿部　それが野村さんの詩の方法の一つになっているんですね。私の場合は、この詩集の一番最後で「何処へ行ったたっていい私です。」と書きました。一昨年の暮れに母が他界したということもあって。これからは何処に行ってもいい自分だと書いてみたものの、じゃあどこへ行けばいいのかというのは実はまだまったく見えてなくて。

野村　ちょっと読みますね。この詩集の最後に収められている「緑の諧調」という詩の末尾の部分です。「さあ草いきれの夏野を歩いて、何処へ行きましょうか。生まれて初めて、何処へ行ったたっていい私です。」やっぱりちょっと解放されたような感じがありませんか。

阿部　あえてそういうふうに書いています。でも実際の私は、行く手が見えない状態なんです。ローでラフな言葉で書いたあと、一体どうすればいいのか……しばらくは低空飛行で、しかも迷走しそうな気がします。

野村　初期の『典雅ないきどおり』のような世界に戻ることはもうないですか。

阿部　それはないですね。通り過ぎたところですから。シャールの「未知」ではないですけど、つねに未知の領域に入っていくことが生きることだと思うので。そう思うとシャールの詩も分かってくるような気がしますね。

野村　それはよかったです。やはり「未知への痕跡」という今回のタイトルに集約されるでしょうか。未知と痕跡とは矛盾するものですけど。あるいは未知からの痕跡かもしれません。未知と痕跡という矛盾し合う語の出会いがはらむ多義的な展開の可能性の中にほんとうのリアリティがあるような気がしますね。

阿部　そうですね。私は未知のところに踏み出していけたらとは思うけど、一方で生身の私はなるべく痕跡を残さないようにしたいなという、そんな願望もあります。跡を消していきたいみたいな。

野村　分かるんです。阿部日奈子という詩人はかなり謎の詩人ですよね。詮索しようとするといろいろできるのではないかと思うんですけど、もしかしたらご本人の中で消していっている部分があるから、謎に見えるんでしょうか。

阿部　あとかたもなく揮発したい、みたいな気分はどこかにあります。

野村　でも、もう少し揮発は先送りして、もう少し痕跡の作業に勤しんでいただければと思います。

阿部　ありがとうございます。

VS 江田浩司

危機と再生

——詩歌はいつも非常事態だ—— ……………… *2020.6.6*

吉岡実と短歌

野村　今日は歌人の江田浩司さんをお迎えしまして、詩と短歌のいろんな関係についてお話をうかがっていきたいと思います。折しも、新型コロナウイルスの感染症のパンデミックという状況下での対談になるわけなんですけど、それを踏まえつつ、コロナ危機の中で詩歌はどう動いているのか、動くべきなのか、そういう問題まで最後いきつければいいなと思っています。なぜ江田さんをお呼びしたかといいますと、ぼくも何人もの歌人を存じ上げているんですけど、江田さんが一番現代詩との接点を広く深くお持ちの歌人だという意識があるんです。もちろん大ベテランで岡井隆さんという存在はいますけれども、岡井さん以降の世代で現代詩との接点を自分の仕事の中に持ち込んでいる歌人というとやはりなんといっても江田さんということになるのではないでしょうか。そこで今日江田さんをお招きしていろいろお話をうかがおうと思ったわけです。編集部の方からの注文としては丁度この号で吉岡実の特集をするということなので、まず吉岡実を入口にして話を進めていくということにしたいと思うんですが、江田さんにとって吉岡実とはどういう詩人であったのか、あるいはほかの歌人たちは吉岡実をどう読んできたのか、あるいは吉岡実自身が短歌の制作を実際にやっているわけですけれどそのへんについてどう評価されているのか、そのあたりのことからうかがおうかと思います。よろしくお願いします。

江田　私にとって吉岡実は、短歌を創作し始めた頃から、とても親近感を持った詩人の一人でした。私は短歌を作る前に俳句を創作していました。吉岡さんも最初に作られたのが俳句ですよね。次に、短歌を作られる。どちらも十代の頃ですね。それから十九歳のときに、詩を書き始められたとおっしゃっている。俳句と短歌を経て詩を創作される過程が、とても興味深く思われました。私の第一歌集『メランコリック・エンブリオ　憂鬱なる胎児』には、吉岡さんの詩に触発された歌が収録されています。また、次の詩歌集『饒舌な死体』には、吉岡さんが創造された詩の世界に直接刺戟を受けた詩句があります。二十代から三十代の後半まで、吉岡さんの詩集を座右において短歌を創作する期間がありました。短歌らしい短歌の世界から離れたところで、自分の目指す短歌を創作するために、吉岡さんの詩の世界が内包するエロスやタナトスに感応することが必要であると思われたのです。また当時、俳句と短歌を創作された吉岡さんが、やすやすと、それとは対極的な詩の世界に移行されてゆく姿に、魅了されていたところもあると思います。

江田浩司

　俳句から短歌に創作を移すときの障害の一つに、短歌の上句の五七五で世界が切れてしまうということがあります。実際、吉岡さんの短歌にも、上句だけでうまく俳句として成立している作品があるんです。これはなかなか難しい問題です。短歌は五七五七七の上句と下句で一つの世界を作り上げますが、一度上句で切れて表現世界が完成してしまうと、七七の下句が付け足しになってしまう。しかし、吉岡さんの短歌は、五七五で成立している表現が、さらに七七として世界の広がりを見せている。俳句から移行して、短歌の世界を巧く継承されているところがあります。その点、とても勉強になりました。私は短歌を創作する上で、俳句的韻律からなかなか抜け出すことができなくて、たいへん苦労しました。そういう中で吉岡さんの詩歌に出会ったことが、自分が創作してゆく上でとても参考になりました。吉岡さんは俳句から短歌へ、そして、詩の創作へと、無理なく自然に移行されています。また、それぞれの詩歌の世界が無縁ではなく、その移行の過程で有機的な表現の昇華がなされているように思います。俳句と短歌の創作期間があったからこそ、その後の豊かな詩作の展開が可能になったのではないかと思われます。

野村　なるほど。今のお話をうかがっていて非常に興味深く思ったんですけど、江田さんは俳句、短歌、現代詩あるいは自由詩、すべてを試みられて、しかも出発点は俳句だったわけですか。

江田　そうですね。最初は俳句だったですね。

野村　面白いですね。ちょっとそれは吉岡実に似てますよね。吉岡実も俳句から出発したようなところがあって、なおかつ終生俳句への関心を持ち続けた人で、それから吉岡実の詩の行自体がなんとなく俳句性があるとしばしば言われています。江田さんの遍歴とちょっとパラレルなところがありますね。興味深く思いました。ですから見方も独特なものになるのではないかと思いますが、ぼくなんかがわりと客観的に見ると、これは何年か前に未来短歌会で加藤治郎さんとの対談でも吉岡実のことがテーマになって、そのときに確か言ったと思うんですが、やっぱり素人の短歌という感じがしちゃうんです。あるいはまだ誰かからの、例えば白秋とかからの影響を抜け切れていない。未熟な、未完成な感じがしてしまって。吉岡実もあれは特別の、結婚式の引き出物として上梓したわけですから、そういう形でしか発表する勇気がなかったというのか、吉岡実自身が自分の短歌についてはかなり控えめな評価をしていたと思うので、ですから吉岡実の短歌をそのように積極的に評価したというのはのっけからちょっと驚きでした。韻律の問題が語られたわけですけど、たとえば岡井隆さんは吉岡実についてずいぶんお書きになって、関心を寄せていたようですが、岡井さんと吉岡実の関係はどう思いますか。

江田 岡井さんは吉岡さんの詩に刺戟を受けていますが、表現者としての資質はかなり違いますね。詩歌の世界観の共有は稀薄だと思います。むしろ、吉岡さんの短歌や詩を分析し、その構造を解明することで、自己の創作に活かすという方向性ではないでしょうか。岡井さんが吉岡さんの短歌を分析した中で、面白いなと思ったのは、茂吉の歌と比較した批評です。当時、吉岡さんは茂吉の歌を読んでいないにもかかわらず似ている歌があるのはなぜなのかと考え、偶然か、白秋を媒介にした詩想の伝達ではないか思考します。吉岡さんの歌を、茂吉の歌と比較するところに、岡井さんの姿勢が顕著ですね。また、吉岡さんが白秋の影響下で短歌を創作したことが重要ではなく、白秋が包懐していた詩の可能性の中から、ある種の因子を引き出して短歌に変奏させたところに、吉岡さんの歌の固有性を見ているところもあります。このあたり吉岡さんの短歌についてとてもよく読まれています。そういう読みができるということは、創作の資質の違いを超えた作品への親近感が、岡井さんにあることを示しています。吉岡さんの詩への親しさから敷衍されて、短歌の世界も見られているところがあるのだと思います。岡井さんは吉岡さんの詩の中に、定型律を見ているところがありますね。

野村 おっしゃる通りですね。

江田 岡井さんは吉岡さんの詩に、意識的か無意識的かを問わず、日本語の特質が反映された定型律を見ているところがあります。吉岡さん自身、詩に対する韻律をとても意識されていた人だと思います。その意識のされ方というのは、俳句の韻律、短歌の韻律、それぞれ違いますよね。その上で、自分が詩を書くときに、新たな詩の韻律を、俳句や短歌の韻律を土台にして創造してゆかれた。だけどその中には定型律の痕跡が残っており、短詩型を創作する人間が読むとその点が浮き上がってくる。

岡井さんが吉岡さんの詩に親近感を抱く一つの理由に、その点があると思います。

野村　それは重要な指摘だと思います。ぼくなんかが吉岡実を読んでいてもそれは感じますから、定型律の痕跡と言いますか、余韻と言いますか。とくに定型律でも俳句に近い律、どちらかというとかちっとした感じの律が吉岡実の詩の中にはあるんですね。それが現代詩に拡張拡大されているという感じで、ところが短歌の律はもう少し流動的ですよね。吉岡実のは律というブロックがきちっきちっと並んでいる感じなんですけどね。そのブロックが全体として詩作品、詩テキストを形成しているという感じなんですけど。短歌はもう少し流動するというのか、大和言葉から来るゆるやかなものが感じられるのに対し、逆に吉岡実の詩にあまりそういう流動性は感じられないんですよね。晩期の『薬玉』とか『ムーンドロップ』あたりはまた違ったリズムができてますけど、少なくとも『静物』とか『僧侶』のあたりは非常にきちっとした、かちっとした、ブロックのようなリズムだと思うんですね。それにしても、定型律のベースの下に吉岡実の詩が成り立っているというのは非常に本質的な重要な指摘だと思います。もう一点、いいですか。吉岡実の話の締めくくりと言いますか、ぼくの貧しい現代短歌、近代短歌の読書の中で、一番吉岡実を感じさせるのは、山中智恵子なんですね。表面的なものではなくて、感性の根っこのようなところで吉岡実となにかを共有しているような、そういう感じがするんですけど、山中智恵子に関しては江田さんは専門家みたいなものなんで、江田さんから見てどう思われるか、ちょっとうかがいたいんですが。

江田　山中さんの歌と吉岡さんの詩に、感性の根っこの部分で共有するものを感じるという野村さんのご指摘には、虚を衝かれるような驚きを感じます。私はこれまで、そのような視点から二人の作品を読んだことがありませんでした。山中さんは十代の頃から芭蕉の俳句に親炙しており、死後には句集が刊行されています。また、若書きの詩を、宗像ちゑという筆名の詩集『星暦』にまとめています。また、この点は、短歌創作に特化した歌人とは違い、吉岡さんに通じるところがあるかもしれません。

第一歌集『空間格子』は、山中さんが、「新しく構成しようとするリアリズム」の歌を思考した実験的な歌集です。この歌集には、意味的な断絶や曖昧さを体現した歌が、連作として構成されています。一首単位でも、イメージの重層化を内包する難解な歌が数多く見られます。山中さんは、ポール・ヴァレリーや、リルケの詩を通して、サンボリズムの影響を強く受け、あえて短歌的な世界の破綻を恐れない、特殊な主体、言わば山中的な主体とメタファーを駆使した歌を創作しています。その試行が吉岡さんの詩の根っこの部分に通じるかどうかの確証はありませんが、一考に価すると思います。山中さんは、第二歌集『紡錘』から第三歌集『みずかありなむ』により、自己の短歌の世界を確立します。これら二歌集は、譬喩を駆使した抽象的な表現に、自己の詠うべきモチーフを直接的に詠った歌です。私はそれらの作品に、表現の一回性がもたらす始原の言葉《ロゴス》を感受して衝撃を受けました。この点も吉岡さんの詩の根っこの部分につながるかどうかわかりませんが、注意深く二人の作品を比較してみる必要があると思います。因みに、『紡錘』には、「サフラン摘み」を詠んだ歌、「サフランの花摘みて青き少年は遥かたり石の壁に入りゆく」が収録されており、吉岡さんの詩「サフラン摘み」が連想されます。『紡錘』が刊行されたのは一九六三年ですから、詩集『サフラン摘み』が刊行される十三年前のことです。山中さんは、「サフランと少年」のモチーフが気に入っていたようで、その後も、「サフランを摘みゆきしままポンペイの青き少年還らざりしを」(『星醒記』収録)と詠っています。「吉岡実氏に76の質問」の中に、「問=すると、前衛に対して?」という高橋睦郎さんの質問があります。吉岡さんはそれに、「芸術には枠がなければいけないんじゃないかな。デフォルメされた均斉も含めて均斉が、古典的な要素がなければ、芸術とは言えないと思います」と答えています。これはまさに、山中さんの歌にぴたりと当てはまる言葉かなと思い、強く印象に残っています。

野村　ジャンルが違っても山中智恵子と吉岡実はある意味非常に近接していたというか。

江田　詩表現の深層レベルでその可能性はあるかもしれませんが、山中さんが吉岡さんについて言及しているのをあまり見たことはないです。

野村　ぼくもそういう意味で言っているんですけど、つまり言及しているか否かとか以前に、資質的に、想像力の質といいますか、そういうところにおいてなんか似ているところがあるのではないか。ある意味、マニエリスム的な、多田智満子さんなんかにも通じるところがあるんですけど。ただ、どうなんでしょう、そういう時代がありまして、吉岡実と岡井隆、吉岡実と山中智恵子、というような関係を語れる時代というのか、詩と短歌がある意味密接に関わり合っていたような時代が四、五十年前まではあったような気がするんですけど、それから時代が変わりまして、いまや現代詩と短歌はすごく乖離ができたような気がするんですけれども、むしろ短歌の方が現代の社会生活にマッチしていくような表現形式として一般にも広く浸透していくのに対して現代詩は相変らず吉岡的な前衛性というんですか、そういうものをずっと保持し続けているようなところがあって、そのために乖離が広がってしまったような気がするのですけど。このあいだ東直子さんの短歌のアンソロジーを読んでいたんです。東直子さんはとても優れた現代歌人でぼくも好きなんですけど、東さんが岡井隆さんのある歌を紹介して、短めの解説をしているんですけど、岡井さんの作品の中に「ナジャ」という言葉が出てくるんです。

江田　自転車をナジャと名づけて……という歌ですね。

野村　そうです。東さんが一般大衆の読者に向けて「ナジャ」とはどういう人物なのかと説明しているんですけど、それを読んだときにびっくりした。ナジャはフランスの「作家」アンドレ・ブルトンの「小説」のタイトルであり主人公の名前である、とあった。一般大衆向けですからそういう解説にならざるを得ないのでしょうけど、そのくらい現代詩への関心が薄れてしまっているのかなと思った。ブルトンというのは詩人であって作家、小説家ではないわけです。『ナジャ』も散文作品ではあるが小説ではない。むしろブルトンが一番憎んでいたジャンルが小説で、『ナジャ』はそれを証明するために書いたようなものなんですね。たとえば描写はくだらないから自分はやらないというわけで、描写が必要なところは写真で代用したりしている。以上揚げ足取りですけど（東さんごめんなさい）、繰り返しますが、それくらい歌人たちはもう現代詩に関心がないんじゃないのか。話を戻しますと、詩と短歌がそういう乖離状態にあるような現代において、江田さんだけが橋渡しをしようとされているような、そんな気さえするんです。それはなぜなんでしょう。江田さんにとって、現代の短歌の状況、詩との乖離、自分が橋渡しをしようとしている意義、そのへんのところを語っていただけるとありがたいのですが。

江田　私の中では短歌も俳句も詩も、一つの詩という意識は強いですね。ですから、短歌も詩であるという意識を持って作ろうとするときに、現代詩を無視するということはあり得ないことだと思うんです。諸外国の詩人を見ると、俳句に刺戟を受けて詩を書いたり、詩の中に俳句を挿入したり、俳句そのものを詩として自由に発表したりしています。私はそのような創作のあり方が、本来的な詩人の姿だろうと思っています。短歌には大衆性という側面が強くありますから、現代詩の表現世界との接点が見いだせない歌人も数多くいると思います。現代詩の難解さを敬遠して、短歌表現の技術のみを磨くことに専念するというように……。しかし、歌人も日本の詩人であるという自覚を持つ以上は、現代詩と無縁であることはできないと思います。また、短歌を創作する上で、未知の詩から思いがけない触発を受ける瞬間ほど、刺戟的なものはありません。私は、吉岡さんの詩を読んで刺戟を受けて短歌を作ることがありましたし、短歌を作りはじめた頃には、瀧口修造の『詩的実験』を座右に置いて短歌を作っていました。まったく表現の世界が違いますよね。でも逆に、違う詩の韻律なり表現なりというものが、自分の作る短歌に思いがけない作用を起こすだろうと思っているわけです。岡井さんにも、そういうところがあるのではないでしょうか。未知の現代詩によって、思いがけないイメージが定型の中に入り込んでくる。それがあるから読むわけだし、詩の意味を理解する以前に、言葉そのものに直接刺戟を受けますよね。短歌は五七五七七という決まった詩型ですから、素材を変えれば多くの歌を作ることはできるけれども、表現の形態は変わらないわけですよ。素材の変わった歌が次々に何百できたところで、私自身はあまり面白くないわけです。極端に言えば、定型の短歌でありながら、すべてなにか違うものができるといいなと思っています。定型という形態、あるいはその様式を、有機的に活用しながら、常に違った表現世界を目指したいと思います。一つとして、同じ構成や色合いの歌集は作りたくないですね。ですから、歌人に詩を橋渡ししようとかいう意識よりも、自分の中での表現の必然性、興味のあり方の中でやっているだけです。私が上梓している本に、短歌だけが収録されているものが少ないのもそのためです。そういうことをやると短歌の世界では大体嫌われます。歌集と銘打ってあるのになんで俳句とか詩が入っているんだという言い方をされることがあります。でもむしろ私はそれが自然なんですね。だから意識的に現代短歌に現代詩を橋渡ししようという意識はないです。歌人に啓蒙しようとか、どうこうしようということはまったくない。自分の興味の中で、自己の創作の必然としてやっています。

野村　まあ、そうだと思うんですけれども、いま江田さんの話をうかがっていて思ったのは、ある種江田さんの批評的スタンスと言ってもいいかもしれないんですけど、たとえばいわゆるニューウェーブ以降の現代短歌とか口語短歌とかを、ぼくも素人ながらときどき目にすることがあるんですけど、一首一首はとても面白い日常の中の小さなポエジーみたいなものの発見があるんだけれど、やっぱりみんな同じに見えちゃうんです。専門の歌人は違うと思うんですが、一首から、これは誰の作品だろうかと見分けることが非常に難しくなっている。みんな方向も語り口も視点も同じに見えちゃうんですね。魅力的な世界ではあるんですけど、作者と作品が結びつかないというか、五七五七七だけで勝負する世界ですから仕方がないといえば仕方がないんでしょうけれど、その点、江田さんの作品はパッと見たらわかるんですね。どんなに変化させても。今日は江田さんの比較的近作しか持ってこなかったんですが、まず思潮社から出した『想像は私のフィギュールに意匠の傷をつける』は、非常に多様な書法を試みながら、現代詩と短歌の富を一冊に凝集したような本なんですけど、もう一つ、同一作者のものとは思えない、『重吉』という去年出た本、江田さんの一番新しい本の一つだと思うんですが、これを読んだときびっくりしちゃったんです。江田さんが八木重吉を非常に愛好していたということ自体も驚きなんですけれども、八木重吉をベースにして本を書いてしまう、詩人ではちょっとできない芸当なんです。しかも八木重吉が江田さんのこの本の中に再生して、なおかつ、こう言うと八木重吉ファンに怒られるかもしれないけれど、江田さんの非常に柔らかい短歌が原詩よりいいみたいにも感じられて、非常に感動したんです。実に不思議な試みで、詩と短歌両方にわたる作品制作の行為をしているといってもレンジが広いですよね。『重吉』は本当に驚きました。なぜこういうものを書いてみようと思ったんですか。

江田　「あとがき」にも書いたんですが、八木重吉展が町田市の「ことばらんど」であったんです。二〇一六年の十一月頃です。展示された遺品とか手作りの詩集を見ている内に、突然、八木重吉をモチーフとして創作しようと思い立ちました。何かに取り憑かれたように、短歌を作ろうという思いに駆られ、翌月から「未来」誌に一年間連載しました。短歌を並べただけだとつまらないので、十首の連作の前に、それぞれ短い詩のような言葉を付け、序と跋の詩を別に作っています。そうやって短歌と詩を組み合わせる形で、八木重吉へのオマージュの本を作ったのが『重吉』です。今まで私が試行していた短歌の世界からすると、こんなことやっててていいのかという批判もありました。要するに退嬰だと、あまりに抒情的な世界にいってしまっていると。そういう批判もありましたが、おおむね、私の今までの本より読みやすいと、好意的に受け入れてくれる人の方が多かったように思います。

野村　それはそうでしょうけど、ぼくが繰り返して言いたいのは、江田さんのこの歌集によって八木重吉が蘇ったということなんです。死者を蘇らせる、そういう作品の行為がここでなされているんじゃないか。それがけっこう重要なんじゃないかと思うんです。一方で『想像は私のフィギュールに意匠の傷をつける』という詩集の中では、ほかの芸術ジャンル、たとえば非常に興味深く拝読したのはフランシス・ベーコンに題材を求めた「その穴の行方――フランシス・ベーコン讃」、これもとても面白く拝読したんですけれども、そういうふうにジャンルや時代はともかく他者の作品と関わるということを江田さんの大きなコンセプトにしていると思うんですが、そういった江田さんの実践から見ると、岡井さんの現代詩の実験も非常に示唆的な先行例として浮かび上がるんじゃないかと思うんですけれど。岡井さんは注解というところから他者のテクストに分け入ったわけなんですが、江田さんから見て注解という行為での創作の仕方、そして更にそれを一歩進めたような、『重吉』におけるような死者を蘇らせる、過去の作品を現在化するという試みとどう関係しているのか、そのへんのところをお話し下さい。

岡井隆の方法

江田　岡井さんの詩の方法との直接的な関係は、なかなか言いにくいところがあります。岡井さんの注解詩は、以前、未来短歌会の大会で、野村さんと加藤治郎さんがお話しされたときにも出ていたと思うんですけれど、解剖学者的なアプローチということがあると思います。岡井さんは解剖がとても好きなんです。解剖することがとても好きで、要するに詩などの素材を解剖する過程から生まれる注解詩というんですかね。短歌を作る場合の、ある作品に触発され、テーマ性が浮かんでそこで連作を作るというのとは違って、対象とする素材に対して、自己の詩歌の価値観に基づく解剖学的な方法論のメスによって、素材を切り開き、腑分けしてゆく過程の中から創られてゆく詩なんです。私はそういうふうに理解しています。岡井さんの詩歌を論ずる解剖学者としての目は、かなりユニークだし確かなところがあると思います。岡井さん独自の詩歌人としての視点が批評行為に発揮され、それがそのまま創作に活かされています。他の歌人にそういう方はいないですよね。唯一の存在です。塚本邦雄さんともまったく違う。塚本さんは美学としての思想がありますから、解剖学者としての立場からの読み解きとは異質です。塚本さんのような意味での思想は岡井さんにはなく、むしろフリーな感じです。詩歌の批評に関する強固なメスは持っているけれども、固定観念にとらわれない、フリーな思想を内包するメスによって解剖してゆく、その姿勢の基に創られる詩というのでしょうか。

野村　やっぱりあくまでも解剖なんですね。岡井さんの注解の仕事はとても面白く興味深くてぼくも驚嘆することが多いんですけど、同時に岡井さんは控えめだなという気持ちを持ってしまうんですね。思想がないと江田さんはおっしゃいましたけど、原テクストに対する敬意がすごく強いということもあるんでしょうけど、なにか控えめだなという気がするんですよ。原テクストに対して遠慮されてるなという気がして、それはあくまでも腑分けの作業、解剖なんだなと今ちょっと納得しました。一昨年に岡井さんが刊行された関口涼子さんとのコラボ、『注解するもの、翻訳するもの』という本があって、江田さんもこれについて語りたいということなんですが、注解と翻訳という文学にとって重要な行為が二つここに並べられているんですけど、ぼくも非常に興味深くこれを読んだんですが、江田さんの感想はどんなかんじですか。

江田　今この『注解するもの、翻訳するもの』について、それを精読するためにという文章を書こうとしているところです。四月にその序章を「美志」という歌誌に載せたんです。とても、刺戟的でした。さきほど野村さんが岡井さんに遠慮があるということをおっしゃっていましたが、岡井さんはやっぱり理知的なところから外れないですよね。理性に基づくエスプリを具えていて、狂気的なものとは無縁です。虚無的ではあっても無頼的な姿態はもちろんないですし、塚本さんのように美に憑かれることはない。たとえば吉岡さんの詩だと、ものすごいエロスとか強烈なイロニーとかありますよね。そういうものは岡井さんにはない。そういう中で『注解するもの、翻訳するもの』ですが、注解というのは、ある一つの線に沿っている、とても理知的な行為かなと思うんです。だから破綻はしない。いい意味でも悪い意味でも破綻をすることがない。ただこの本に関して面白いなあと思ったのは、いきなり最初の注解のところで『熱帯植物園』という関口涼子さんの難解な詩集の語彙を使いながら、短歌の連作によって注解を始めているんですよね。この行為は意外性があってとても興味深い。短歌から始めることによって、この本の世界が決まる。つまり扉のところで『熱帯植物園』を短歌によって注解するという試みが、この本の一つの方向性を定めたところがあるかなというふうにも思ったりしたんですね。だからそのあたりのところを、これからきちんと精読していかなければいけないと思っています。最初の注解を読んでいて面白いところがありました。関口さんの詩に鳥が詠まれているところがあり、その後の注解に謎を秘めた歌が出てきます。哲学者のバートランド・ラッセルの書が詠まれているんです。「バートランドラッセルの書が西から来《き》それもはるかな西から来ては」という歌です。これは私の想像ですが、ひょっとしたら「バード」にかけたのかなと思って……。そうすると『熱帯植物園』の世界を歌で注解しながら、実は岡井的味付けのユーモアというんですか、バートランド・ラッセルを鳥からもってくるというような創造性のあり方はとても興味深い、面白い方法だと思いますね。でもそれもやっぱり理知とか理性の範囲内であり、破綻しない注解ですよね。

野村　もっと激しいパロディの例なんかぼくはいくらでも知っているんですけど、対象となる作品を徹底的に壊してしまって全く別のものにしてしまうとか、あるいは脱構築といってもいいかもしれませんが、そういう作業ではないですよね。もう少し控えめで、何と言ったらいいか、あくまでも解剖の手つきです。それに比べるとこの『重吉』はもう少し作品と一体になりながらもっと熱く関わろうというパッションのようなものを感じたんです。たとえは悪いかもしれませんが、解剖ではなく、魔術。キリストがラザロを蘇生させたみたいな。

江田　野村さんの仰ることは、本当に有難いですけれど……。岡井さんの詩の変遷は、現代詩文庫『岡井隆詩集』で初期から見てゆくことができます。岡井さんが歌集の中に、最初に詩を取り入れたのは、第四歌集『眼底紀行』ですね。第一から第三歌集までは短歌だけが収録されています。その後、『天河庭園集』が、新編としてまとめられた中に、短歌と散文詩のコラボレーションが収録されています。前衛的な短歌の実験的試行が突き詰められた作品です。そのさき、短歌の創作に行き詰まった危機的な状況の中で、岡井さんに短歌を離れた五年間の空白が訪れます。その五年間の空白というものが『注解するもの、翻訳するもの』の中でいうと、とても気になるところです。関口さんは詩人ではなくなったところから岡井さんに応答されていますね。岡井さんは歌人として応答しているんだけれども、実は一度歌人ではなくなる経験を経た上で、いま歌人として詩も書いているという、これはとても興味深い立ち位置ですよね。

野村　お互い詩や短歌から離れた時期があった、あるいは離れつつあるという似たような経歴を持つ同士、あるいは病歴かもしれませんが、そういう者同士なんですね。

江田　そうなんです。そこが面白い。

野村　関口さんもぼくが読んだ感じではちょっと戸惑っているんですよね。自分はもう詩から離れつつある、そういう者が過去に書いた詩に対して、岡井さんが熱烈に注解という行為をしてくれている、それに対してちょっと関口さんが戸惑っている。うれしさの反面、できかけた瘡蓋を剝がされるような気もしたんじゃないか。そういうお互いが作るズレみたいなものがこの作品集を特異なものにしているのかもしれませんね。

江田　『注解するもの、翻訳するもの』を野村さんの目から見られたら、どういう点を一番評価されます？

野村　いま江田さんがおっしゃったことに関係するんですけど、二人とも同じ傷を持っている同士の交流、岡井さんはかつて短歌から離れていた時期がある、一方関口さんはいままさに詩から離れようとしている、そういう者同士の、ちょっと意地悪な言い方かもしれませんけど、ズレが仕掛ける独特のエクリチュールと言うしかないんですけど。ただ注解も翻訳も文学の一般的な通念としては二次的な作業なんですね。一次テクストがあって、そこから生じる仕事ですから。岡井さんにしても関口さんにしても一次テクスト産出という原点があって、その上に注解や翻訳という行為が生じているので、その点は押さえておかないといけないと思います。二人とも注解や翻訳を専らとする者ではない。ぼくがちょっと不満に感じるのも岡井さんの控えめな注解という立場そのものであって、自分の短歌制作をちょっと担保しているみたいなところがあるので、どちらかというとぼくの好みとしては、岡井さんの初期の、素手で現代詩に入っていったような、注解ではない、ご自分の言葉を自ら現代詩風に行分けしていったような作品の方が、しみじみと身に沁みてきますね。

江田『限られた時のための四十四の機会詩 他』とか。

野村 ええ、あのあたりですね。

江田 私の場合は『重吉』という本をまとめたときに、重吉の言葉そのものに憑依するのじゃないですけれど、それ自体に成り代わることがどこまでできるかということはありました。そこは翻訳とか注解ということではなくて、言葉そのものにどう入っていけるのかということ……

野村 ぼくが強調したいのもそこなんですね。

江田 重吉の詩を血肉として内奥に取り込み、その中で自分の詩歌の世界を作り出せるのかどうかを実践したのが『重吉』だったんです。

野村 だから不思議な読後感をもたらすんですよ。

江田 偶然できたようなものですね。

野村 偶然の果実がいいのかもしれません。

短歌の危機、詩の危機

江田　『重吉』を上梓した以降は、ずいぶん抒情詩の世界に取り憑かれたところがありました。最近とても面白く読んでいるのが三好達治と田中冬二で、そうしたものを読みながら短歌や詩を作っています。立原道造や中原中也、伊東静雄ももちろん読みますけれど、今は達治と冬二の詩に影響を受けています。とにかく言葉の韻律ということをもう一度考えなければいけないと思います。特に短歌の場合はそうで、岡井さんも常々短歌は調べだと言われているんですが、いまこそ調べをもう一度真剣に考えていかなければいけない時期かなと考えています。さきほど野村さんがおっしゃったニューウェーブ短歌の話ですが、一九八〇年から九〇年にかけてニューウェーブ短歌がとても大きな影響力を持った時期がありました。それ以後、口語短歌が隆盛を極めてゆくわけですけれど、私の同世代でもニューウェーブ短歌で注目された人はいく人もいます。私は読んで刺戟を受けるんですが、それを作ろうということはまったくなかったですね。短歌を作る一方法として試してみるのはいいかもしれないと思ったことはありました。最近ニューウェーブ短歌を回顧するような本が出たり論じられたりしています。過去の検証はとても大事なことだと思います。しかし、今ここに在る短歌をどうするのかということ、それがとても重要なところに差しかかり、おそらく岐路に来ていると思うんです。その点、短歌の過去への検証が、現在の短歌の危機的状況に寄与するものであることを願わないではいられません。たとえそれが、大変な痛みを伴うものであったとしてもです。先ほどもいいましたように、私はもう一度、原点に返って、短歌の抒情と韻律を考えていかなければいけないと思っています。田中冬二にしても三好達治にしても、当然ですけれど短歌や俳句の影響を受けている。短歌とか俳句の韻律をそのまま詩の中に挿入している作品もある。そういう詩をもう一度読み直しながら、新たに今現在に蘇らせる短歌の抒情と韻律を考えてみたいと思っています。野村さんに一つお訊きしたいのは、野村さんがお書きになっている本には、以前から現代詩の危機とか現代詩の終わりという記述がありますよね。あれは第一に、なにからもたらされた危機だと考えておられますか？

野村　危機は、第一義的には、戦争とか災厄とか、詩の外にある危機ですけどね。ただ、現代詩はそもそも形式的に安定していないので、それ自体が危機なんですね。ジャンルとしていつも危機を内包しているようなところがある。とりわけ現代は、文化の変容ともあいまって、ちょっと江田さんのさっきの文脈に似ているところはあります。口語短歌ほどではないかもしれないですが、現代詩もだいぶん大衆性の中に身を投げ入れていてその中で泳いでいるようなところもあるんですね。非常に広く浅く作品の世界が広がっていくような印象があって、それはある意味いいことですけど、その方が読者は獲得できるかもしれませんしね、ただそれによって失われるものもあると思うんですよ。むしろ失われるものの方にぼくはある種哀惜の念を持ってましてね、懐かしむというか、愛おしむというか、一言で言うとその哀惜の対象はメタファーということになるかもしれません。これまで長いこと詩が自らの基盤として拠ってきた広い意味でのメタファーを、いま詩は捨てつつあるのではないか、脱ぎつつあるのではないかという観測がありましてね、江田さんのさっきおっしゃった抒情と調べの復活再生を試みてもいいのではないかというそういう文脈とも通じるんですけれど、そういう意味での危機ですね。詩が詩を離れてしまうんじゃないかという危機。最近あまり詩らしい詩がなくなってしまったんです。散文脈の詩ですとか、掌編小説やショートショートとあまり変わりがないような詩とか、物語性や寓話性に流れていく傾向ですね。とくに若い人の場合そういう傾向があって、詩のかつてのエネルギー、それこそ吉岡実にみられたような、言葉によってイメージを結晶させていくエネルギー、あるいはイメージへの欲望といいますか、ひっくるめてメタファーの創出と言ってもいいんですけど、それがなくなったので、自分としては去りつつあるそっちの方に愛おしみを覚えるということなんです。

江田　不思議なことに短歌の滅びとか散々過去に言われてきたことが、最近耳にすることが全くなくなってきたんです。

野村　つまり、短歌はある種隆盛しているんじゃないですか。

江田　隆盛しているのでしょうか。はっきり言って、どの短歌が優れているかということを、その価値をきちんと批評できる人がいなくなりました。だから口語であれ文語であれ、それぞれ自由に作ってはいるんだけれども、結局そこでされている評価の多くが、たとえばインターネットでつながっている仲間内での「いいね」というレベルでのもので、否定や批判はできない。仲間のネットワークができてしまうと、その中で褒め合ってしまう。その延長線上で短歌総合誌の批評が出てくると、同じ結社なら結社、グループならグループで褒め合うことはあっても批判することはないという、これはもうジャンルの終わりかなと私などは思います。なぜこの作品がいいのかということをきちんと説明できないにもかかわらず……

野村　なんとなくムードで褒める。

江田　そう。もっと極端になると、この人が作った作品だからもう批判はできないよねというのがあって……。もっとひどい話になると、歌集に与える賞がいろいろとありますよね。すべてではないと思いますけれど、本当に選考がされているのか疑問に思うようなことがあります。例えば、自分たちの仲間内で、誰々さんが今度歌集を出したから、じゃああの人にこの賞をあげようとなる。作品がいいからではない。誰が上梓したかで決まる賞です。誰の歌集かという選別はあるけれど、作品に真剣に向き合った選考は行われないんです。こういう風潮は昔からあったんですけれど、最近はより極端になっていますね。昔はそのような風潮を厳しく批判する人がいたんです。口うるさい人がいたんだけれども、もういなくなってしまいました。力をもった一部の有力歌人たちが、自由に何でも差配できる、賞であろうが何であろうが。そういう中からは、本当にいい作品や歌集は出てこないし、いい作品を後世に残す姿勢もないですね。

野村　まあそれは一つの危機ですよね。詩にもそういう似たような危機はあると思うんですけど、おそらく文化全体がそういう危機にあるのではないか。このあいだある人が言ってましたけど、今度のコロナ危機でステイホームになって人々はやたらオンラインやSNSを使って発信し始めた、そうすると今まではテレビならテレビ、そういうシステムが働いて芸能界というものが保証されていたようなところがあるんだけれども、一般の人が誰から誰まで自由にユーチューブに瞬間芸みたいなエンタテイメントを載せていくことができるようになると、芸能人が崩壊してしまうというんですね。ユーチューバーとしては同じようなレベルのものがたくさんあるわけですから。だからそういう文化全体の現象が短歌や詩の世界にも及んでいるような、ある意味深刻な危機ではないかと思うんです。

江田　すごく深刻な危機だと思いますね。新型コロナの持っている性質とちょっと似たような。いつの間にかそれに罹っているということがあるのかもしれない、そんな感じがします。今に始まったことではないけれど、より深刻になっていると思います。

コロナ危機と詩歌

野村　コロナがそれを加速させていると言えるかもしれませんね。そこで最後に、今まさに我々が置かれている状況、コロナのパンデミックの中に生きているという危機なんですけれども、あるいは非常事態といってもいいかもしれませんが、その中で歌人たちの動きはどんな感じになってますか。一般論で言うと歌人はそういう破局的な出来事に対して時事詠という形で即座にリアクションしていくみたいな傾向は前からあったと思いますが、今回のコロナ危機に関してはいかがでしょうか。

江田　そろそろコロナ禍がモチーフとされた歌が出はじめています。コロナを素材にしながら、自己の生活を詠う歌です。自分が新型コロナに罹った人は違うんでしょうけれど、素材としての作り方は、これが戦争であっても地震であっても変わらないですね。下手をすれば題詠になってしまう。その歌のあり方は、何を素材やテーマとしても、おそらく基本的には変わらないと思うんです。どういう素材の切り口としてコロナ禍を使うのかという、おそらくそこに重点が置かれていくんだと思います。だから、本質的に新型コロナというものが歌そのものに実質的な変異をもたらすということは今のところない。ただ、対岸の火事と違って、新型コロナは自分がいつ罹ってもおかしくないもので、しかも全世界的な問題ですから、地域性を超えた性格を持っています。地震や戦争がある地域で起こるのとは違う、自分の身体に直に引きつけた詠い方が誰でもできるものだと思います。素材以上の切り口として詠うことができるのか、新型コロナのありようの不気味さ、目に見えないグロテスクさを短歌に反映させるような創作ができれば、それはそれでとても興味深い作品になっていくと思います。そこまではまだ出来ていないですね。ただ、ちょっと面白かったのは、最近、岡井さんが作られた「死について」という短歌連作のコロナの使い方です。岡井さんは現在病気療養中なんですけれど、昔使っていた短歌手法も取り入れながら、ちょっと冒険的に作っていて、「死について（続）」なんかまさにそうですね。（次頁参照）

野村　三首めの「リリリ、羅々羅……」昔こういうナンセンス詩みたいなものが岡井作品にありましたよね。今岡井さんは九十を越えているんですか。

江田　越えています。九十二歳かな。

野村　ぼくも最近、白水社のウェブマガジン「ふらんす」にコロナ禍の詩を連載しているんですけど、ぼくも高齢者で六十八になるんですけど、やっぱり全然違いますね。ぼくの詩は、たとえば「空隙はふえ、ふるえ／おお、青い花ネモフィラ／／私とは叫びが／微粒子のざわめきとして絶えず耳の底に充満している／きれっきれの、沸騰しつづける臨床」（「花冠日乗」26より）というふうに、いたって生真面目です。ここにおける岡井さんのコロナ詠、といっていいのかどうかわかりませんけど、この抜け方は全然違いますね。

江田　ルビが間違ってなければ、ルビの付け方も独特なんですね。「阿婆世」を「あばな」と読ませているんですけど、これはなんだろう。ルビの誤植ではないと思うんですよね。

野村　コロナと韻を踏んでいるのかな。

江田　そうかもしれませんね。コロナを詠み込んでいるなという感じがしますよね。しかもコロナが変異しているのを言葉によって表現しようという試みなのかなと思ったりもするんですけど。

野村　ぼくなんかまだ素直に死の恐怖とか不安とか、そういうことを書いているんですけど、全然違いますね、岡井さんは。抜けてます。悟りとも違うかな。死を相手に、言葉で遊んでいる余裕。

江田　遊んでますよね。でもいま病気療養中の身で自分の死を意識されているのも確かなんですけれど、そういう中でこういう新型コロナの歌を詠

岡井隆「死について」抄

死つてさ、私が話題にしないのが不満だつたと吾妻はなじる

死つてさ、それは深いよ底知れぬ青空か暗い月夜だ

新型コロナウイルス感染死が来たらごろりと眠り「死」挨拶す

岡井隆「死について（続）」抄

リリリ、羅々羅、ロロロコココロ余　なんてつちやつて、手手手きンイロ

死がうしろ姿でそこにゐるむかう向きだつてことうしろ姿だ

ああこんなことつてあるか死はこちらむいててほしい阿婆世《あばな》といへど

江田浩司「律《りつ》」抄

さくらさく日をまたずしてゆきたまふ歌のつかひのまれびとがあと

あさおきてなにかに追はれゆくものよしばらくしたら鳥屋《とや》の日だまり

つくばひにひかりのゆれるじふさん夜あをい夜みちのつづく窻《まど》なる

江田浩司「ひかる柱」抄

らふそくのゆるる炎《ほむら》をみるひとよふるびたまちが湖すいのやうだ

おまへのゐない世かいでさえも花がさく夜あけまぢかのゆめのなかでも

もうだれもここにゐないね窓のよこなんてんの木にハンケチむすぶ

すべて「未来」二〇二〇年五月号・六月号掲載

まれる。改めて岡井隆ってすごいなと思います。数ヶ月振りに再開した後の創作ですからね。少し前までは創作していなかったんですから。これはちょっと驚きました。

野村　江田さんご自身の作品についてはどうですか。

江田　岡井さんがこの作品を掲載された「未来」五月号・六月号の私の歌がこの「律」と「ひかる柱」なんですけれど、律は韻律の律で、調べを中心に考えた歌です。「ひかる柱」の方はひょっとしたら括弧をつけて「ひかる柱（あるいはコロナ禍）」とつけたらコロナ禍のアレゴリーとして読めるかなと思うんです。デストピア的な誰もいない街とか、家とかが出てくるので。

野村　これはよくわかります。

江田　三首目の「もうだれもここにゐないね」の歌は、コロナ禍の歌としても読めますね。なにかパンデミックみたいなものがあって、そこの家には誰もいなくなっているという。

野村　二首目もそう感じます。

江田　このあたりの歌は、若干コロナ禍を反映させながら、あまり露骨にコロナとは書かないで、というのはあるかもしれません。終末的なところを詠っている歌ではあります。

野村　面白いですね。少し突き放してやわらかく捉えるというか、大上段にコロナ禍をぶつのではなくて。面白いスタンスです。とくに三首目なんか、万葉集のあの有間皇子の辞世、「磐代の浜松が枝を引き結びま幸くあらばまたかへり見む」を思い出しました。

江田　私がコロナを詠うとしたらコロナと直接言わなくて、今後もこういう形で暗示させる歌で作っていくと思いますね。あまり具体的に出さない形で作ろうかなと思います。これから新聞の短歌欄や総合誌で、コロナ禍に直接題材にした歌が山ほど出てくるでしょう。

野村　詩もそうかもしれません。どんな作品が詩歌において生まれてくるのか、しばらく注視したいと思います。

VS 広瀬大志

恐怖と愉楽の回転扉

2021.11.12

人類と人間

野村　今日は広瀬大志という詩人と対談ができるのを楽しみにしています。これは特集「恐怖の陰翳」の一環の対談なのですが、ぼくが広瀬さんにいろいろ訊くという形で進めていきたいと思います。というのは、「恐怖」のプロを前にしてはぼくは無知の塊みたいな人間ですから。まず、恐怖というテーマと密接に関わることですけど、現在世界を覆っているコロナ・パンデミックについての話から入っていこうと思います。広瀬さんは今のコロナ禍を恐怖との関係でどんなふうに捉えてますか?

広瀬　今日はよろしくお願いします。野村さんから打診をいただいて、「みらいらん」のテーマが「恐怖の陰翳」という言葉に、ちょっとゾッとしたんです。まさにコロナ禍のまっただなかにわれわれがいて、いま落着いているとは言いながらも、かつて経験したことのない恐怖は続いていて、どうなるかわからない。まさにこれは陰翳が刻まれているところなのかなという感じがします。今おっしゃったように、新型コロナウイルスが入ったときに、恐怖的な物言いをするなら、ホラー小説の書き出しのような一節が浮かんだんです。「それは突然世界中の至る所で人類に襲いかかってきた。それは人の目には見えず、捕えることもできない。そして恐怖の広がりを止めることもできない。」このようなパターンです。次に、一番ぼくが戦慄したのは、変異株の発生という展開が起こってきて、ウイルスが形を変えてどんどんやってくる。まるで新世紀エヴァンゲリオンの使徒のようです。形を変えて訳もなく襲いかかってくる。これが現状の最たる恐怖だなと思っています。ひとつ体験したことがあるんですけど、自分のことを人類であるという認識を生まれて初めてしたんです。それまでは「人間」として自己認識していたんですけど、ウイルスという別物が出てきて、しかもわれわれを凌駕するような勢いで迫ってくるときに、初めてわれわれは人類なんだと。名状しがたきものに対しての自らの認識です。スティーブン・キング流に言うと〈it〉なんですけどね。われわれは人類だと認識する、そんなフェーズに今いるのかなと思います。

野村　なるほど。「人類」というもので自分を捉えたということ、非常にピンと来ました。人間という概念のさらに外側ですかね。

広瀬　人間は社会との関係性ですよね。

広瀬大志

野村　そう、関係性を越えたものですね。最近よく人新世とか言われていまして、人類が初めて地球に地質学的変容を人類自身の活動によって加えた時代です。一万年ぐらい前から完新世という地質学的時代があるらしいんですが、その次に来る、仮称なんですけど「人新世」、つまり人間が人間であることを越えて、人類、もしくは片仮名のヒトとして、地球に変容を及ぼした。だから人間を越えちゃったかという感覚はよくわかるんです。ぼくも去年たまたまコロナ・パンデミックが始まったときに詩の連載を始めまして、「花冠日乗」というんですけど、その書き出しに「不安」という言葉をもってきたんです。なにかわけのわからない不安に駆られてコロナ・パンデミックのさなかに散歩を始めた、そんなふうな書き出しです。ところが考えてみると、あれは不安ではない、用語を間違えた。むしろ恐怖です。図式的に言うと、不安が対応していたのは人間の時代といいますか、近代と言ってもいいですし、ミシェル・フーコーのように人間の終焉を語るようなときがあって、それから後は不安よりもむしろ恐怖が前面に躍り出る時代でそれをわれわれは生きているのではないか。その転換のきっかけを与えたのが今度のコロナ・パンデミックではないかと思うんです。コロナ・パンデミックに晒されたわれわれの感情は近代人が持っていた実存的不安というよりはもっと直接危機に晒された生理的な恐怖であり、そういうふうにパラダイムがシフトしたような感じを今広瀬さんの話を聞いて思いました。

広瀬　たしかに不安と違うフェーズというのがありますよね。野村さんがこの対談の準備のメールでキーワードとして「ゾーエー」と「ビオス」という言葉を出されたんですが、ぼくは非常にそれが気になっていて、さっきの人類と人間、人間は共同体の関係性での呼称で、人類が地球上の生物学的な名称ですよね、まさにビオスからゾーエーの時代へと野村さんがおっしゃったその指摘はその通りかも知れない。それが人新世であるとかの移り変わりで、生存をもう一回認識し直すときが来た。とんちんかんかも知れないですけど、実はこの恐怖のストーリーはあらかじめ予言するようなアルケタイプがあるんです。これが私が四十年間研究しているゾンビなんです。

野村　ああ、はいはい。

広瀬　ジョージ・A・ロメロが発明したゾンビ（リビングデッド）ですけど、その類型化された話を言うならば、感染者がゾンビというのはあくまでも見立てなんですけど、まず突然感染が始まる。それは家族や隣人からで、避難させようとするけれども身内が感染してしまう。道徳的な部分もあって見捨てられないからということもあります。その次のフェーズとして今度は、メディアが混乱した情報を流し始める。そうすると人間は安全な場所に闇雲に避難してしまう。だいたいこのパターンです。その次に、人同士が疑心暗鬼に陥ってゾンビ狩りをする。感染者狩りをする。なんとなくわれわれがやってきていることに近いような気がします。そこぐらいまでのフェーズに今来ていて、今度は、世界中のあらゆる政策をもってしても歯止めが利かず意味をなさなくなって、暴動が起こって無政府状態になる。その次に、いろんな人間たちが独自に共同体を作り始めて、争って、勝ち残っていく。まさにゾーエーの時代に突入する。その瞬間恐怖の対象がゾンビつまりウイルスではなくて、人間対人間になってしまう。ゾンビが風景になってしまうんですね。というのが本当の恐怖かなと思います。そういうアルケタイプがあるんですよ。例えたら怒られますけど、まさに感染のメタファーです。

野村　ええ、よく言われることですね。

広瀬　完全にそうであるし、さきほどのゾーエーとビオスという展開からいくと、これも極論ですけど、ホモ・サケルというのがゾンビに見立てられてしまうんです。これは恐ろしい。そういうところまで考えています。

野村　よくわかります。ロメロがゾンビを着想した発想源はやはり感染症なんですかね。

広瀬　ベトナム戦争なんです。それと人種差別。ゾンビの最初の映画「Night of the Living Dead」で主人公は黒人なんです。ゾンビ狩りで沈静化したときに黒人がやっと一人で救出されて、生き残ったぞと手を挙げた瞬間にゾンビと間違えられ撃たれて死ぬ。非常に悲惨な映画なんです。その死体を燃やして終わるという映画なんですが、実際にロメロは人を燃やす出来事を目の当たりにして着想を得たということです。感染とは違うんですけど、戦争の生んだパニックから来ています。

野村　戦争やウイルスによってひき起こされるパニックという意味では似ているわけだ。

広瀬　どちらかというと人が人に影響を及ぼす、そういうのが本当の恐怖のベースであるということを相当訴えています。ゾンビはどちらかというと抑圧されたものである。

野村 そういうメタファー性は必ずあって、それは多義的でしょうからいろんな解釈が可能かと思いますが、ぼくも直感的にコロナの状況を見たときにやっぱりゾンビを思い出したんですね。『花冠日乗』の中にも感染症のメタファーとしてのゾンビということは書いたんですが、もう一ついまの広瀬さんの話をうかがっていて興味深いと思ったのは、そういうパニックやカタストロフィーによって社会が変容していくときに、二通りあるらしいんですよ。一つは中国のように超管理社会、あるいは古典的な作品でいうと「１９８４」のような、すべてを管理してウイルスを放逐していく、そういうディストピア的な状況、もう一つはロメロ監督が作ったような全くの無政府状態になる、管理社会とは真逆なんだけども、そういう原始的かつポストアポカリプス的な状態になるか、どちらからしいんですね。でも今の状況でいくとどうも中国的な超管理社会によってウイルスを追い出そうとするような方が可能性としては高いような気がします。どっちに転がっても嫌ですけど。

広瀬 そうですね。歴史が物語るようにそういうパンデミックときな臭い事態はリンクしているじゃないですか。天然痘とインカ帝国の滅亡からスペイン風邪と第一次世界大戦まで、人の手でパンデミックは世界にかきまわされ、いびつな統率が始まる。それが次の恐怖ですよね。

野村 だから流動的ではあるんでしょうけど、ひとつ言えるのは、最初に広瀬さんがおっしゃったように、コロナはわれわれに生のありようについての認識の変容を迫ってくるんですね。ぼくのタームで言えば、不安から恐怖へ、あるいはビオスからゾーエーへということになり、そこにわれわれはどうしても乗っかっているのではないでしょうか。

広瀬 これが目の当たりになってきたというところですね。そんな中でこの特集で、恐怖とは何かというところなんですけど……

不安と恐怖

野村　実はですね、現代詩文庫の『広瀬大志詩集』（思潮社）が出たときに解説を書いて、広瀬大志論にかこつけて、不安と対比させて恐怖を定義したことがあるんです。ちょっと読んでみます。「恐怖は、たとえば不安とどうちがうか。不安は日常的であり、恐怖は非日常的である。不安は内的もしくは実存的だが、恐怖は生理的もしくは身体的である。生存が直接危機に晒されているときの身体的反応、それが恐怖である。ひとはいくら不安を募らせても失禁したりはしないが、恐怖に襲われるとたちどころに失禁しうる。二十世紀美術に例をとれば、ピカソは不安の画家であり、フランシス・ベーコンは恐怖の画家である。以上要するに、形而の上に不安は住まい、恐怖は形而の下にもぐる」どうでしょうか。

広瀬　これを読ませていただいて非常に納得することがあって、不安と恐怖は類似していますけれど、ぼくは全く別物だと思います。対象があるというところに恐怖が芽生える。しかも不安というのは漠然と動物本能的な意味を持った危機回避能力、察知能力であると思うんです。ところが恐怖が実像的に現れた場合には、穿った言い方ですけど、言葉で感じるものであるとぼくは思っていました。恐怖は感情というよりもイメージから図像化されたものではないか。野村さんは身体的と言われましたが。そういう恐れだと思っています。言葉でイメージを形作るからこそ、恐怖は増幅するんです。世の中で一番恐いのは、幽霊とか心霊写真みたいなものなんですけど、あれを見たときに、不安というよりも、それが心の中で非常にイメージ化されていって、見たこともない対象さえも恐怖を抱くことができる装置になってしまうというのが恐怖ではなかろうか。恐怖というものが気になり出した頃に、ラヴクラフトという恐怖小説家と出会い、彼のとても有名な言葉で、「人間の感情の中でなによりも古くなによりも強烈なものが恐怖である」という言葉がすごく引っかかっていて、古《いにしえ》からある、水面下をえぐるようにある言葉の産物ではないかと思っていました。ところで今回の対談でいろいろ調べものをしていって、面白いものを見つけたんです。それは、哲学者の三木清が著作「パスカルにおける人間の研究」の中で、「人間の存在に伴う根源なる状態は恐怖であり戦慄である」と、同じようなことを言っているんです。続きますけど「この恐怖、この驚愕に動かされる者は世界とは何であるかと問うに至るであろう。そしてこの問いは最も原始的にはひとつの哲学である」という。なんで三木清がパスカルの中でと思いますが、おそらく科学と哲学の狭間にある確信できないものに対する恐れが恐怖であるのかなと。バタイユの内的体験に近い感じがするんですね。まずそれが根強い。不安の三要素は、教育学者の村瀬学さんが『恐怖とは何か』という本で、三つの不安があり、それは身体的な不安、倫理的な不安、論理的な不安、これのバランスが崩れたときに安全性は崩れるんだと書いていて、まさにそういうところもある。しかし恐怖はもっと図像化された言葉寄りの概念かなという気がします。

野村　それはぼくには盲点というか面白い視点ですね。いきなり広瀬大志の詩の世界に入りますが、その特徴の一つはイメージがすごく豊かだということなんです。イメージ中心的と言っていい。しかもそのイメージが主題である恐怖と親密に結びつき合っている。広瀬大志の詩の世界のイメージの豊かさというのは、いま広瀬さんがいみじくも指摘された「恐怖はもっと図像化された言葉寄りの概念」という通路から恐怖というテーマにつながっているのだなという気がしました。なかなかそこはわからなかったんですよ。むしろ近代の詩はどちらかというと近代の実存的不安を表出したようなところがあって、恐怖というテーマには馴染まないような気がしていたんです。むしろ恐怖は端的に映画とかのほうが表現しやすくて、詩の世界で恐怖を表出するというのは例もあまりないし、馴染まないのかなと思っていたところに広瀬大志が切り込んできたような気がしていたんですね。でも今の広瀬さんの話を聞くと、もともとイメージと恐怖が結びつきやすいものであれば、詩と恐怖は思いのほか親和性があるのではないか。そんな感じがしてきました。

広瀬　ぼくのホラー詩を読んで下さって光栄です。恐怖は言葉でできているというのがぼくの感覚的な見解で、その理由は二つあって、一つはバタイユの言葉で、「強度な体験ほど死に近い」、ジェットコースターに乗ったり崖から飛び降りるにしても、体験が強ければ強いほどそれは死に近い刺激なんだと。同時に、これはとても有名な残酷写真なんですけど、中国の公開処刑のシーンで虐殺された死体が手足をちぎられながら笑っている、これを見てバタイユは興奮し、その後の思想に大きく影響を与えたとのことなんですね。「呪われた部分」や「エロティシズム」であるのでしょうか。このような、恐いもの見たさのところがどうしてもつきまとってしまう。非常に不謹慎な言い方ですけど、われわれは人類の終末であるとか自分自身の死をすごく恐れるじゃないですか。風邪をひいただけでも恐いくらいです。ところが、そこに立ち会ってみたいというどうしようもない好奇心もあります。それがカタルシスとして映画になったり小説になったりする。つまり不安から呼び起こされる、おののく感情ではなくて、恐怖のイメージを言葉で認知したいという思いが逃れられないほどに強い。もう一つはさきほど言ったように対象のないものがなんで恐いのか。幽霊とか呪いとか、入《い》らずの森であるとか、妙に恐いですよね。ないものを恐怖として感覚化してしまうというのが面白くてしようがない。それが自分の詩のトリガーにはなっています。

野村　そういう意味では恐怖はものすごく人間的なんですね。言葉に促され、対象がないのにそういう感情が引き起こされるというのはね。不思議なもんです。しかも太古からある。

広瀬　最も古い。決して寂しいからとか敵が来るから芽生えた防衛的な本能とイコールではない。それらは逆に不安に近い。

恐怖と愉楽

野村　今の広瀬さんの話からいろんなことが連想されたんですけど、たとえば深層と表層、深さと表面というものの捉え方がありますよね。恐怖は表面に生起する事柄なんだという気がします。ドゥルーズが「意味の論理学」などで表面と深さを対置させているんですが、深さを代表するのは近代的な不安みたいなものとかアントナン・アルトーのような精神分裂病的な精神の世界、いまは統合失調症と言いますが。表面はたとえばルイス・キャロルの言葉遊びとかどんどん表層を滑っていく世界、それは精神病の分類で言うとむしろアスペルガーとか自閉症スペクトラムとかそういう世界で、より現代的だと言えるかもしれません。恐怖もそういう表面に親和性がある精神現象、あるいはアスペルガー的、自閉症スペクトラム的なものと関係が深いという感じがしました。今いわゆる統合失調症は精神病の主役から降りつつあるらしいんです。症状も軽症化してきている。それに代わって前面に出てきているのがいわゆる自閉症あるいは発達障害といわれるような病理で、それも恐怖の時代の現象のような感じがします。だからいろんなものがリンクしている感じです。

広瀬　フロイトであるならばトラウマとして格納されてしまうかもしれないですけど、そんな深部の部分がいま浮き出て外面化している、そういう印象を持ちます。それが周りの恐怖によるものか、あるいは自分で恐怖を作るのか。フロイトのトラウマを受けてベンヤミンが「経験と刺激とは違う」と区別して、トラウマを近代的な現象だと位置付けたんです。こんな情報過多の時代には刺激は経験として残る間もなく過ぎ去ってしまう。肉体的な反応の方が刺激によって外に出てしまうのだと思います。恐怖は言語的なイメージが強いとすると、恐怖はやはり表層により変容するんです。

野村　それはちょっと逆説的な面白い指摘ですね。

広瀬　言語によって象られた感情です。

野村　ある意味で、モノでしかない。それは逆説的で面白い。ヴァレリーだったかニーチェだったか、表面ほど深いものはないという逆説を述べたことがありますけど。

広瀬　いい言葉ですね。野村さんの著作の中で最高傑作の一つと思っているのが、『危機を生きる言葉　２０１０年代現代詩クロニクル』（思潮社）です。野村さんは山のように本を出していらっしゃいますけど、この書は素晴しいですね。二〇〇〇年代の詩壇のクロニクルで「危機を生きる言葉」というタイトルからして恐ろしいですよ、この時代において「危機」と名づけられた予言的な書です。

野村　ありがとうございます。その中に広瀬大志論も入っていますね。「危機を生きる言葉」という主題の発端となっているのは丁度読売新聞で詩の時評を連載していたときに３・11が起こったことなんです。だからこの評論集のきっかけは３・11であり、そこから書き始めて十年間ぐらいの批評行為ですが、そうするとその帰着点にコロナがある感じなんです。まさに二〇一〇年代は３・11からコロナへの時代で、それをうまく体現できたかどうかわからないですけど、いま広瀬さんが指摘されたのをとても嬉しく思います。

広瀬　その危機の、これは始まりの書なんですね。今回読み直してまたゾゾッとしました。その中の一節で、メタファーに関して、オデュッセウス神話になぞらえて、「詩とは深さへのノスタルジー」という言いえて妙の言葉をされているんです。逆の言い方をすると深さを表面化させるというのがメタファーによる表現ではなかろうか。この場でこの野村さんの言葉を復唱していると、どんどん恐怖がポエジーに変容するというか、詩につながる。嬉しくて仕方がない。（笑）

野村　それが広瀬大志ですね。そこが広瀬大志のポジションでありステータスなんだと思いますが、なかなかそれは理解されない気がするんですね。たとえば田村隆一にも「恐怖の研究」という名篇があるのですが、今までの話を踏まえて言うと、田村隆一が書いているのははたしてこれは恐怖かなと思うんです。時代が違うからないものねだりに聞こえるかもしれないですが、どうですか、広瀬さんにとって田村隆一の「恐怖の研究」は？

広瀬　「恐怖」というフレーズを出されたのは画期的だと思います。ただ本質的な詩の言語表現において恐怖を研究するという意味あいとは全然違っていて、田村さんのこの詩は「恐怖」という単語自体をカッコよく要領よく印象づけられています。見事な詩とは思いますが。自分勝手な物言いで申し訳ないんですが、ぼくは詩における恐怖は二つのフェーズがあると思っています。一つには先程のバタイユの強度な体験のように、意味を届ける言語機能とは違う次元においてもなぜわれわれは詩の言葉に感動を覚えるのかという点。つまり、意味とは別の発信装置があきらかにあると思うんです。しびれる、野村さん流に言うと、めまう。それってなんだろう。これがさっきの内的体験に非常に近い、あるいは人間の終末を見たいという興味に近いような愉楽的なシンクロでわれわれは痙攣してしまうのではないか。ブルトン的に言うと痙攣ですよね。だから詩における最上級の眩暈《めまい》、あるいは最上級の痺れを恐怖と呼びたい。

野村　それはすごいですね。

広瀬　ぼくの詩がなかなか読まれない所以かもですね（笑）。

野村　しかしそれをわかってもらえないと意味がないですよ。

広瀬　だから「これは恐いな」という評語は一番の褒め言葉です。かつてぼくの詩集『ミステリーズ』のあとがきに書いたんですけど、そうすると、恐怖に対しての詩人の位置付けはなにかということになる。それが探偵なんです。その謎を突き詰める探偵。それが恐怖と言葉の関係ではなかろうかという考えが一つあります。もう一つの考えは、人間の介入するこの世界ではなく、言葉だけの世界、これは野村さんは非常に理解されていていつも言っていただいているんですけど、言葉同士は実は互いに葛藤しているのではないか。言葉たちを見たら明らかに一つの言葉が周りの言葉をびびらせているという状態があるのではないか。これは非常にモダンホラー的な恐怖なんですけども。よくぼくが使うネタで、暮鳥の「風景」という詩の「いちめんのなのはな／いちめんのなのはな……」ののどかな中に一行「庖丁」と入れるだけで、まわりのなのはなたちは、一瞬にしてびびる。ましてや野村さんの昔の詩行の「小泉今日子の死体」を投げ込んだ途端に、恐怖が固まるんです。この脅かしの面白さ、詩の力はそういうところにもあるのではないか。そんな荒唐無稽な思いを持っています。

野村　荒唐無稽というか、ちょっと深遠すぎるというか、別の言葉で言うとやはり逆説で、それはなかなか理解されないんです。もう一度繰り返してほしいんですが、恐怖がそのまま、愉悦ですか、愉楽？

広瀬　愉楽です。

野村　恐怖が愉楽に変わる瞬間、これが一番のポイントだと思うんです。なかなか「愉楽」などという言葉を人はつかえないし、恐怖と愉楽が同期しているというのは、大変な言葉だと思います。そこに事の本質があるような気がします。人はただ恐がっているわけじゃないんですよね。

広瀬　恐れおののいているわけではない。愉楽に近い。

野村　ですから隣接した概念として痙攣もそうだし眩暈もそうで、そういうものをもっとちゃんと捉えないと広瀬大志の詩もわからないし、詩の可能性全般が狭くなってしまう。一方的で単一なメッセージを強調したりとか抒情を強調したりとか、ちょっと一元的な見方になってしまう。そうではなくて回転扉みたいに恐怖が次の瞬間は愉楽でありまた次の瞬間は恐怖に戻っていくような、それが表面だと思うんですが、そういうものに対する感覚、感性がもっと前面に出てくるといいなと思ってるんですけどね。

広瀬　詩にそういう言葉がほしいと非常に渇望しています。なぜか心に残っている一行の言葉ってたくさんあるじゃないですか。朔太郎の一行にしろ西脇の一行にしろランボーの一行にしろ、それらはすべてしびれる言葉ですよね。愉楽につながる。今回言いたかったのは、それをあらたに証明しているのは、野村さんの詩集『妖精DIZZY』（思潮社）ですよ。これは恐怖の愉楽でしょう。

野村　そう言っていただけるとありがたいです。

広瀬　恐怖の陰翳というコンテクストに沿って言わせてもらうと、モンスタークラスの出来映えだと思います。言葉が意味を超えてダンスしたり脅かしたりという、ぼくがいま説明した通りのことが書かれている。本人を前にして怒られそうですけど（笑）。われわれはここになにを感じるかというと、まさに眩暈ですよね。これは意味などという狭いドメインの感動ではありません。恐怖が最高の眩暈の表現であるとするならば、それを発生させている錬金術的な詩集としてぼくは捉えました。一番のヒットは「妖精」としてモノ化していることです。DIZZYを妖精として作っちゃったのか、と。これは画期的な試みであると思います。あとは作りとしても非常に特徴的なレイアウトですけど、面白いのは、本を読もう、言葉を読もうとすると、読む前に見てしまう。見ると、声が聞こえるんです。その次にぐるぐる回る野村さんの詩の言葉が画面いっぱい展開するというスパイラルが続き、本当に眩暈を起こしそうになる詩集です。その最たる表現が「DIZZY」なんだと思います。ブルトンの言葉で言うと「痙攣するフィギール」というモノの、まさに象徴であり、よくぞ書いていただいたと、嬉しいです。

野村　いまの広瀬さんのコメントを聞いて、書いた甲斐があったなと思いました。

広瀬　ぼくの恐怖好きの流れからで恐縮なんですけど、わりかし当たってると思いますよ。ここから逆説的に遡ると、恐怖に至りつくと思います。野村さんのこの詩で好きな五行があって、「めまいの　うしろに　まわり／その　せなかを　のぼる／けわしい　せなかだ／せなかの　うえに／くびはない」（「絵本「眩暈」のためにⅣ」）これは恐怖そのものでしょう。

野村　そう言えば広瀬大志の詩のなかに、最初に読んだときのインパクトが忘れられない一行があって、「隣の人は／頭ごと持っていかれた」。これはかなり初期のものですね。

広瀬　そうです。『喉笛城』の詩です。

野村　あるフレーズがどうしようもなく心に残ってしまう現象をさきほど広瀬さんも言ってましたけ

ど、これは読んだ瞬間から焼きついてしまったという感じです。頭ごと持っていかれるというのは言葉だけでも恐い。このフレーズがインパクトを与える理由として、もう一つは、ぼくの「せなかのうえに／くびは　ない」もそうなんですけど、バタイユのアセファル、無頭人に似ている。バタイユはじっさいに人を殺して実践しようとしたらしいとまことしやかに伝えられていますけどね。

広瀬　恐ろしいなあ。バタイユも恐怖が愉楽にいっちゃったんですね。

恐怖小説の系譜

広瀬　詩の流れから来てシンクロするんですが、恐怖小説の流れをここで話していいですか。

野村　いいですね。是非聞きたいです。

広瀬　恐怖を用いた作品は数多作られていて、その歴史は五段階ぐらいに分かれていると思います。一番最初は古《いにしえ》の神話や民間伝承などによって、それに由来する入らずの山とか口にしてはいけない場所とか名前などが、そこに棲む化け物の姿や残虐を伴いアレゴリー化された物語が多く伝えられていました。それが共同体の中でシンクロして恐怖の言語のイメージとなってきた。これは先程言った、恐怖は言葉であるという説に沿いますが、それが英雄伝として展開していきます。スサノオしかり、ユリシーズしかり、恐怖の根源を退治するという人達が出てくるわけです。その後次第にフィクションとして作家がリアルタイムで物語を書いていくというフェーズに変わってくる。この頂点が十八世紀から流行ったゴシックホラーで、フォレス・ウォルポールの「オトラント城奇譚」が最初のゴシックホラー作品と言われています。その後次々に恐怖の物語の創作が始まってくる。ここで私が一番喜んで強調したいのは、書き手に詩人が多いんです。これは嬉しいですね。キーツの「蛇女」。シェリーは嫁さんの方が有名なんですけど「フランケンシュタイン」がある。そしてなんとゲーテが「ドイツ亡命者の談話」という幽霊話を、シラーも「招霊妖術師」というのを書いている。恐怖の担い手として詩人が活躍しているという時代です。これはまさに恐怖の想像力のイメージ化ですよね。面白い時代です。リラダンの「未来のイヴ」とかもそう。ＳＦホラーの原点です。そういう潮流の中で、その頂点にして、モダンホラーの創始者であるエドガー・アラン・ポーがアメリカから出る。彼はホラーのみならずミステリーのベースも作りました。その後あまたのゴシックホラー作家の活躍ののちに、モダンホラーと総称されるようになるジャンルの作品が一九五〇年代にアメリカで確立するんですけど、ゴシックホラーとなにが違うのかというと、恐怖のモチーフが幽霊や怪奇譚などの外的現象ではなくて関係性の不条理なんです。恐怖の要素に必ず心的な心象風景とか内的感情が入ってくる。私が最初に体験したのはシャーリイ・ジャクソンの「くじ」という作品でした。翻訳にすると九ページぐらいの短篇で、物語は、普通ののんびりした田舎の村で、年に一度のお祭りがあり村人たちがにこにこしながら広場に集ってくる。一人ずつ籤を引き始める。当たりを引いたおばさんはその瞬間に他の人たちから石を投げられて殺される。ただそれだけ。震えました。この辺が最初で、それからリチャード・マシスンの「激突」という小説。これはスピルバーグの映画にもなった。そしてアイラ・レビンの「ローズマリーの赤ちゃん」、ロバート・ブロックの「サイコ」、さあモダンホラーのはじまりです。それから恐怖の物語にはどんどん不条理の世界が挟み込まれてきて一つの頂点に向かっていく。そのステップがスティーブン・キングの登場です。彼はそれをメジャージャンルとして確立させ、モダンホラーと呼ばれるようになる。端折って語りましたけど、そういう流れがあります。詩人が多いと言いましたが、スティーブン・キングは作家になるまではハイスクールの詩の先生だったんです。英米詩の先生で、自分も詩を書いている。たまに短篇の中に自分で詩を書いているんですけど、そんなにいい詩ではないですね（笑）。教員時代に生徒たちの間でいじめがあって、一人の女の子が標的にされてしまっていた。それをもとにして書いたデビュー小説が「キャリー」です。ふつう先生ならいじめを止めろよと思うんですが、彼はホラーを書いていじめた連中を皆殺しにしちゃったんですね。

野村 それは意外と言っては失礼かもしれないけど、すごいですね。

広瀬 キングまで詩につながっているのは感激ですよね。キングは恐怖とは何かということを、エッセイ集『死の舞踏』の中でさきほどのゾーエーとビオスの対比のような文脈で語っています。「ホラーとはアポロン的存在の中でディオニソス的狂気が芽生える様を克明に描いたものであり、それがもたらす恐怖はディオニソス的な力が駆逐されてアポロン的な状態が回復されるまで続く」、これがホラーの定義で、まさにビオスの復権までという一連の流れです。わりかしきっちり定義している。流石と思います。ところで最近はポスト・モダンホラーの中に一つの新しい潮流が目立ってきていて、これがパニックホラーです。ホラーの素材がサイコパスや幽霊から今度は地球的なパニックに移っている。ゾンビを始めとして、ウイルスや世界戦争とかというフェーズに向っている。危機を生きる時代にリンクしたような流行り方なんです。人間の想像力と事実とは非常に同期して進んでいる。ものすごく恐いなと思います。どんどん人間の想像力が追いつかなくなって。それが最も顕著なのがハリウッド映画の堕落っぷりで、世界的な危機に対して、今はほとんどアベンジャーズみたいな超能力者が出てきて解決するじゃないですか、あれでガス抜きするしかないという酷い状態です。実は恐怖の進化、潮流を追っていくと、まさに今人類が瀕しているものと同じようなプレート上を流れているという気がします。

野村 広瀬さんの今のお話は一冊の本になりそうだ。ぼくが見た数少ない映画の中で一番恐怖を覚えたシーンは、一つは「2001年宇宙の旅」のラストで、宇宙飛行士が宇宙空間に放り出される瞬間なんですけど、もう一つは若い頃に見た「遊星からの物体X」、あれを見たときに名状しがたい恐怖に襲われました。その二つなんです。

広瀬 いいですね。ジョン・カーペンター監督の大傑作です。ゾンビ的ですよね。誰だかわからないという。

野村　そう。エイリアンなんかの原型になっているのでしょうか。

広瀬　ええ。キャンベルという作家が書いたＳＦモダンホラー小説です。すばらしい。カーペンターの方はリメイクで、ハワード・ホークスが最初に「物体Ｘ」を作っていて、そのときの名台詞で一番最後に南極に流れるラジオ放送が「Watch the sky.（頭上に気をつけろ）」と言うんです。それをずっと繰り返して終わる。すごく恐い。「２００１年宇宙の旅」の宇宙に放り出されるのも、あれも初めての恐怖かもしれない。無になる恐怖。

野村　本当に無に放り出される。それと、もう一つふと思い浮かんだのは、広瀬さんが今、詩人がホラーを書いていると言いましたので、これは有名すぎる例ですけど、萩原朔太郎の「猫町」ですね。朔太郎はかなりポーなんかを読んでいて、ホラー的なものにも関心があったと思います。「猫町」は不思議な作品ですね。

広瀬　そうですね。朔太郎は日本の近代詩人で一番最初に詩でフィクションを書いた詩人だと思うんです。普通は自分のことしか書かないじゃないですか。朔太郎は「天上縊死」にしても「殺人事件」にしても、ほぼフィクションで書いてますよね。そういう意味ではホラーの殿堂に入るかもしれない。ホラーと言ったら怒られますけど（笑）。

野村　朔太郎はやはりある意味天才ですよ。勘がいい。ポーも読んでいたし、江戸川乱歩とも交流があった。センスがいいんです。

広瀬　ホラーと言っても、転がるようなスピードで進化していく。最近では劉慈欣「三体」という中国の小説が広く読まれていますが、あれはＳＦですけど一つのホラーとも捉えられて、何かが突然やってきて、あっという間に地球を征服してしまって、あっという間に宇宙と折り合いをつけてしまうという、とんでもない小説なんですけど、これもポスト・モダンホラーの潮流ではないかと思います。

メタファーが詩である

広瀬　詩の方に向かうと、野村さんもよくおっしゃっているのが、比喩の話なんです。恐怖でできている言葉が詩であるならば、メタファーの重要性が非常にあるということを最後に言いたい。野村さんの『危機を生きる言葉』でも相当書かれています。最近は、詩はメタファーとぼくは言わない、メタファーが詩だと、もっとえぐい言い方をしています(笑)。恐怖の陰翳の脈絡で言うと、あらかじめ、言葉自体が世界の見立てであると思っています。名付けることから言葉は始まっていますから、コップならコップ、テーブルならテーブル、と言葉が生まれるときに、物体に対してのメタファーが働いている。記号化されるまでの工程でまずは詩的な想像力が働いて一個の名称となる。その名称を組み合わせた詩作、強度の詩を作るためには、メタファーのファクターは何よりも優先する。そこが一番、身を置いているところです。修辞学のトロール的に言うとアレゴリーとかメトニミーとか手法はいろいろありますけど、前提としてメタファーありきなんです。これはぬぐいようがないような気がしています。

野村　名付けるということがおっしゃったようにメタファーですからね。そこでも、恐怖というテーマで詩を書くことと似ているかもしれないですけど、メタファーは詩である、詩はメタファーであるというと、なんとなく孤軍奮闘しているような気がしますね。現代詩の趨勢としてはむしろ散文化の方ですよね。

広瀬　孤軍奮闘というか、あまり強調もしてないですけどね。どうでもいいんです。散文にしても、言葉で書かれたつながりがポエジー的な感動を呼ぶためにはなにかが潜まされている、ぼく流にいうと恐怖なんですけど、そういうファクターがないとおかしいだろう、それをメタファーと呼ぶか恐怖と呼ぶかはどうでもいいんですけど、詩の技法の前にそれは前提としてある。そこに浮かび上がる言葉は世界の陰翳そのものです。散文の物語であろうとそういうものが見え隠れする作品は、詩として許容すべきであると思っています。

野村 これも逆説ですけど、あまりにも本質過ぎて普通の人は見えなくなっている。

広瀬 そうかもしれませんね。

野村 どんなにひらたく、言葉の技法もなく、のっぺらぼうに書いても、メタファーという本質は出てしまうんですよね、言語をつかう以上は。

広瀬 ぼくが認めないのが一つあって、それは言葉で書かれていないものです。記号で書かれたりする、実験的なものがあるじゃないですか。

野村 コンクリート・ポエトとかヴィジュアル・ポエトリーですか?

広瀬 ヴィジュアル・ポエトリーは言葉が動いているので詩であるんですけど、記号で描いたり、絵や楽譜を詩だと言ったり、そういうのは許容できない。理解できない。言葉で作られたものしか詩とは言えないと思います。

野村 そうしないとわれわれ詩人の拠って立つところが崩れてしまいますからね。

広瀬 詩は恐怖の探求でもあるし、それは恐怖は言葉でできているからという逆説的な思想がぼくにはありますね。

野村 いやあ、目から鱗という感じでした。恐怖と詩、恐怖と言語、そんなに密接に表裏の関係を結んでいるのだというのはちょっと驚きでした。ステレオタイプ的には、言葉にできないような恐怖とも言うし、言葉にできないような体験が恐怖に結びつくというのが一般的了解でしょうから、それとは違う真理があるということですね。

広瀬 野村さんの『妖精 DIZZY』をはじめ、ぼくや、小笠原鳥類とか、平川綾真智もそうですけど、果敢に探求してますよね。恐怖に近づいているなと、これは讃辞の言葉であり、非常にシンパシーを感じ、嬉しいことです。

野村 広瀬大志の孤軍奮闘状態がすこし解消されるといいですね。恐怖について語るときの広瀬大志のパッショネートな語り口は聞いていてすごく気持ちがいい。話の根底がポジティブ、肯定性に満ちているので気持ちがいいのだと思います。否定に否定を重ねていくような語り方のほうが詩や批評においては多いですが、聞いているうちにこっちも沈んでしまう。広瀬さんの話し振りはこっちも思わず身を乗り出してしまうところがある。

広瀬 今は危機の時代が始まっているので、起承転結の起承転がすでに終わった時代のような気がします。結の中の展開の物語の中で生き延びていくための、物語的な想像力が働かなくなっている。一過性の刺激だけが湧いては消えていく。その時に必要なのが詩的想像力。ロメロの作ったアルケタイプから逃れられない今、違うアルケタイプを作り出すことが次の世紀に生き延びる人間の術なのではないか。人類と人間の話に戻りますけど、人類の最大のファクターは想像力であり、人間の最大のファクターは言葉である。この二つから何が生み出されてきたか。一つは科学、もう一つは詩的想像力です。この測り合いがあるのですが、詩の側の力が薄れている。

野村 その弊害がある。一方だけではだめなんですね。最近もしょっちゅうエビデンスだのなんだのと言われているけど、科学的理性だけでは絶対に物事は解決しない。

広瀬 はい。詩の方でアルケタイプを持ち上げてあげないといけない。詩人たちがゴシックホラーを作ってきたように、非常にポジティブな構えを詩人はしなければいけないと思います。

野村 それは重要な指摘です。全く別の文脈ですけど、たとえば中沢新一さんは『レンマ学』で、古代ギリシアの時代には二つの人間の精神のタイプがあったと書いている。一つはロゴス、言葉ですね。もう一つはレンマという言葉を超えた何か、言い替えれば詩的想像力です。それが古代ギリシア以降ロゴスだけが発展してしまってやがてそこから科学が生まれる。しかしレンマの作用がなくなった分、ロゴスの方が勝手に暴走して今日のような文明全体の危機を招いてしまっている。その極点がAIであり、それに対抗するにはレンマ、非理性的な想像力が必要だというのが中沢さんの論旨なんです。広瀬さんの考えに通じるように思いました。

VS 杉本徹

ポエジーのはじめに散歩ありき

2022.3-4

第一信　野村→杉本

名古屋に戻られてからの生活はいかがですか。相変わらず散歩は続けていますか。ぼくは名古屋へは数回訪れたことがあるだけですが、そのうちの一回は「金子光晴の生地を訪ねて」という雑誌の企画で、ぼくの『金子光晴デュオの旅』の共著者鈴村和成さん——鈴村さん自身名古屋の出身ですが——とともにあちこち歩き回りました。偶然、野口米次郎の生家跡に出くわしたりもしました。土地の印象としては、なんとも平坦な広がりという感じで、とくに光晴が生まれた津島のあたりは蓮根の産地だったそうで、そのせいか、泥田にてらてらと光があたっているような……

そこで、西脇順三郎を語るにあたって、まず金子光晴との比較から始めたいと思います。ぼくは昔、『金子光晴を読もう』というモノグラフィーも書いたことがあって、かなりこの詩人に入れ込みましたが、西脇との比較にまでは及びませんでした。というのも、いざ比較しようとしてみると、何もかもが違いすぎて、比較自体が無意味に感じられたほどだったからです（笑）。まあ、両者ともヨーロッパ体験があるということがほとんど唯一の共通点と言っていいぐらいですけど、それだって、一方は英文学を、他方はフランス文学を学んだわけで、やはり違いの方が目立ちます。

生まれ育ちに加えて、そうした教養のバックボーン、あるいは影響関係ひとつとっても、違いは明らかです。金子光晴のデビュー詩集『こがね蟲』には、同時代の日本の詩人のほか、フランス象徴派の詩人たちの影響が濃密に感じられるのですが、西脇順三郎の場合どうなのでしょう。西脇を深く読み込んできた杉本さんにまず伺いたいのは、その点です。西脇は誰かに影響されたということがあったのでしょうか。西脇自身は朔太郎の『月に吠える』を読んで、自分も日本語で詩を書く気になったなんて言っていますが、その割には、見た目の影響は感じられませんよね。『Ambarvalia』発表の頃はたしかに日本でもモダニズム系の詩がすでに書かれていたので、その誰かから影響を受けたということはあったのでしょうか。しかし、『Ambarvalia』冒頭の「天気」を読んだ室生犀星が、こんな詩、日本になかったと驚嘆していますから、それもないかもしれません。

すると、影響を受けたのは英米系の詩人ということになりますが、誰かいるでしょうか。エリオット？　パウンド？　引喩という手法は学んだかもしれませんが、それ以上となるとどうでしょう。いずれにしても、その方面にぼくは疎いので、ご教示のほどよろしくお願いします。

最後に、もう誰かが言っているかもしれませんけど、ぼくの仮説を添えておきます。いちいち検証したわけではないのですが、西脇はその詩的言語の創出にあたって、ほとんど誰の影響も受けなかった、むしろ、奇妙な言い方ですが、自分に自分の影響を受けさせた、つまり西脇にはふたりの詩人がいて、ひとりは英語あるいはフランス語で詩を書いた詩人 Nishiwaki（彼には影響を与えた英米系の詩人が誰かしらいたことでしょう）、もうひとりはそれを日本語訳した詩人西脇で、後者はその翻訳を通して、さらには他の詩人の詩の翻訳をも通して、語彙論的レベルから統辞論的レベルにいたるまでの、あの独特な日本語を、いわば発明していった、言い換えると、それだけ西脇順三郎にとって翻訳という行為は決定的であった……

第二信　杉本→野村

そう、約二年前に故郷である名古屋に戻りました。振り返ると「ああ、もう二年たつんだ」と、ちょっと驚きますね。あっという間です。長い東京暮らしは、つい昨日のことのようで、私の夢はいまだ東京の枯野をかけめぐってます。でも反面、なんだかずいぶん遠く去ったような思いもあり、複雑です。名古屋を歩いていても、時に東京の野原（路地）を歩いている、確かにそんな実感で、ますます超時空的な、夢うつつの、変な散歩者になってますね。

二年前、……といってもコロナ騒動とはなんの関係もありません。

陶淵明になぞらえるのはおこがましいかぎりですが、まあ、私なりの「帰去来の辞」ですよ。近所には南山や東山もあるし（南山大学や東山動植物園のこと）。しかし淵明のように豆を植えるわけでも菊を採るわけでも、まして農作業するわけでもないから、よく考えると、淵明との共通点は「故郷に戻った」「酒飲み」の二点だけであるといま気づきました。

さて本題。

西脇順三郎の、とりわけあの『Ambarvalia』に顕著な、あのスタイルへの影響関係——これは確かに難題なんです。野村さんのおっしゃるように「誰の影響も受けていない」「自作翻訳を通して、自分で自分に影響を与えた」、まず大枠でとらえれば、この指摘は正しい。じつはこの点、おそらく加藤郁乎が最初に指摘しています。

「私見を述べれば、西脇順三郎は時評家一般が想像また追創造するほど萩原朔太郎の影響を受けておらず、そうした世評に対して御本人は当惑し苦笑し、（…）その当初より、西脇順三郎に絶えず影響感化を与えてきたのは西脇順三郎自身に外ならぬ。」（「朴散華」『閑談前後』）

また、身近にいた鍵谷幸信も「西脇順三郎の詩をもっともよく読んでいるのは西脇順三郎本人だ」

みたいな発言をしていますから、このあたりの認識は、晩年の西脇周辺の人たち（たぶん本人も含めて）の、共通の了解事項だったようにも思えます。とくに『Ambarvalia』にかぎれば、巻頭の「ギリシア的抒情詩」群と、「馥郁タル火夫」「紙芝居 Shylockiade」以外は、あとはおおよそ自作英詩か自作仏語詩の翻訳、およびカトゥルス「レスビアの歌」やティブルス「農場の清めの祭（アムバルワリア祭）」、その他古典ローマ詩の自在な翻案（いやこれ、ほとんど創作といってもいいレベル）ですからね。翻訳、翻案が、あの鮮烈な詩集の重要な核心であったのは間違いありません。

しかし、問題はここからなのです。

翻訳、翻案することで、あの独特の日本語スタイルを「発明」していったというより、ヨーロッパから帰国（『Ambarvalia』刊行の八年前）以降、旺盛に執筆しつづける日本語散文（詩論やエッセイ）が、すでにあの破格のスタイルですからね。この一点だけみても、翻訳、翻案で自身のスタイルを確立していったのではなく、それ以前に、母語ではない外国語を扱う手つき、つまりなんというか、どこまでも「客体」としての、「物」としての言語を慣用から遠ざけて扱う手つきが、まず英詩を書くことで自家薬籠中のものとなり、それが翻って、なんと母語である日本語にもストレートに適用されていった。日本人でありながら、日本語を外国語として自在に乱暴に（?）、破格に使いこなすという、英語経由でのスタイル確立の、不思議な円環運動をみる思いがします。

もっといえば、西脇にとって英語とは比較にならない、はるかに遠い外国語であったラテン語で、まがりなりにも多少、詩作を試みたこと、遠い言語であるゆえ「客体」度は高まり、この体験が意外に『Ambarvalia』当時の、外国語として日本語を荒々しくも晴朗に使いこなす手つきに、一種の生命力として作用していると思います。

さらに、こうした、英語であっても日本語であっても根本的には同様のアプローチである西脇スタイルに、決定的な影響を与えたものは、

１　フローベールの文体、表現法（けっして小説のテーマやストーリーではなく）。
２　ボードレールの詩論、詩についての考え方（詩作品以上に）。
このふたつでしょうね、やはり。

もちろん西脇本人も何度も書いているように、まずウォルター・ペイターの影響は絶大なのですが、これはまあ、ヨーロッパの芸術や文学への構え方というか、芸術や美を生きることの作法というか、そうした面での影響なので、文体、スタイルの面では、やはり、フローベールとボードレールでしょう。このふたり、こう片仮名で書くと韻を踏んで、かつふたりとも一八二一年生まれなのが、なんか面白いですね。

……往復書簡として、一方的にどんどん長くなってしまうので、ひとまずこのへんで止めます。

第三信　野村→杉本

第二信拝受。なるほど、ぼくの仮説を承けて、それをさらに大胆に飛躍させましたね。深謝です。「翻訳、翻案で自身のスタイルを確立していったのではなく、それ以前に、母語ではない外国語を扱う手つき、つまりなんというか、どこまでも「客体」としての、「物」としての言語を慣用から遠ざけて扱う手つきが、まず英詩を書くことで自家薬籠中のものとなり、それが翻って、なんと母語である日本語にもストレートに適用されていった」というわけですね。ふと、ベケットを思い出しましたけど、ベケットは、母語の英語だと言語としての歴史的な厚みとか個人的な言語運用の癖とか、コノテーションですね、そういうものを帯びてしまうので、それとは逆のニュートラルな没個性的言語を夢見て、習い覚えたフランス語で作品を書いていったということらしいのですが、そういうベケットのフランス語は、いかにも非人称的な話者が繰り出すのにふさわしい、漂白されたような、さらに一段と抽象性を高めたようなフランス語になっています。西脇の英語というのはどうなんでしょう。逆ではないでしょうか。普通の英語と比べる力はぼくにはありませんが、「「物」としての言語を慣用から遠ざけて扱う手つき」という杉本さんの評言から察すると、ベケットとは逆方向の、つまり詩的言語に特化した、あるいは偏奇した、詩語っぽい語の異様な積木のような英語になったのではないでしょうか。

そこからその日本語化が始まるとみるわけですね。結果としての、「外国語として日本語を荒々しくも晴朗に使いこなす手つき」とは、すばらしい言い方だと思います。西脇の詩的出発点を言い表すなら、これに尽きると言いますか。

それにしても、やはり特異というしかないなあ、西脇は。ぼくなんかはまったく逆で、大学では日本文学科を専攻したわけですが、その理由というのが、日本語で詩を書く以上、日本語を深めなければならない、母語を絶対化しなければならないと思い込んでいたのですから。その後、ランボーやシュルレアリスムなどのフランス詩を学び、またパウル・ツェランの日本語訳（飯吉光夫訳）の斬新な外国語的日本語から影響を受けたりして、ぼくの国粋主義（笑）もだいぶデトックスされましたけど。

一見、ぼくのこうした歩みとは逆に、戦後の西脇は『旅人かへらず』で奇妙な「日本回帰」を見せます。このあいだ、西脇研究会で、カニエ・ナハさんから『旅人かへらず』の初版本を見せてもらってびっくりしました。なんと表紙に浮世絵が嵌め込まれていて、これだけ見たらとても西脇の詩集とは思えません。西脇自身もおそらくこの装幀を認めたということでしょうから、一段と謎は深まります（笑）。

もっとも、テクストをよく読み込めば、「外国語として日本語を荒々しくも晴朗に使いこなす手つき」は深く静かに潜行している感じで、むしろいったんそういう回帰的な身振りを潜ることが、『近代の寓話』『第三の神話』以降の真にユニークな西脇的世界を出現させるためには必要であった。そんな気がします。

散歩の詩学が始まるのも『旅人かへらず』からですね。ぼくもそうですが、杉本さんも散歩イコール詩作の人みたいなところがありますよね。そこで杉本さんにお聞きしたいのは、西脇の場合、散歩からどのようにポエジーが生まれるのか。それは杉本さんの散歩の詩学とどう関わるのか。杉本さんの場合は、主体のまなざしの移動に合わせて事物も違った様相を見せてゆく、そのあたりをクローズアップして、それを啓示のような、光の成就のようなものとして言語化する、いってみれば光学的な散歩だと思うのですが、それには西脇からの影響もあるのでしょうか。それからまた西脇詩に頻出するフローラ、あれはいったい何なのか。隠喩的なのか換喩的なのか。散歩の詩学とどう関係するのか。いかがでしょう。核心的な質問だと思うので、存分に答えてください。散歩の詩学といっても、たとえばランボーの場合は、彼も大散歩者でしたが、散歩していって、とくに自然の中を散歩していって、いつの間にかハイの状態になり、自然と一体化した忘我の状態になり、歩行からダンスへと身体的にも変容していく感じです。ヴァレリーが言うところの、散文＝歩行から詩＝舞踊への、まさにその移行を実践してゆくわけで、ある意味わかりやすい。「鐘楼から鐘楼へと綱を張りわたし、窓から窓へと花飾りを、星から星へと金の鎖を張りわたし、そうして私は踊るのだ」。ぼくもまあだいたいこの系に入るでしょう。都市を歩くことが多いですが。

西脇の場合はどうなのでしょう。まず、散歩の場所としては、街なかというより、圧倒的に東京近郊が多い。野の道。そして、ぼくの印象では、ゆるゆると散歩している。途中でどこかに寄ったり、誰かがやってきたり、女性存在を思ったり、野の花に目を落としたり、ブッキッシュに脱線したり、運動の方向性が非常に多数多様で、『近代の寓話』と『第三の神話』からざっと書き抜くだけでも、こんな感じです――「4月の末の寓話は線的なものだ」「女から／生垣へ／投げられた抛物線は／美しい人間の孤独へ憧れる人間の／生命線である」「タイフーンの吹いている朝／近所の店へ行って／

あの黄色い外国製の鉛筆を買った」「果てしない心の地平を／さまよい歩いて／さんざしの生垣をめぐらす村へ／迷い込んだ」「なぜ私はダンテを読みながら／深沢に住む人々の生垣を／徘徊しなければならないのか」「この小径は地獄へ行く昔の道／プロセルピナを生垣の割目からみる」「あすはまた青いマントルを買いに／ボロニヤへ行くんだ」「10月の初め三人の男が／洋服を着て下総の／湖水地方を歩いた」「カメロットへ行く道は賑わった／皆お祭りに行くのだ」「明日はオギョウの草を摘みに／ヘンドンの村に行くのだ」「9月の初め二人は歩いた／流動的哲学はもう二人の中を流れ去った」「雪が降る日には籠をもって／オギョウを採りに行くのだ」「タマガワを渡って向こうの松林の丘を／めがけて歩いた」――とまあ、もう止めますが、空間が人の移動の矢印で埋め尽くされてゆくような、そうしてある種の生の多方向的なダイヤグラムが作成されてゆくような、そこに詩人主体も微細に砕かれて紛れてゆくような、そこに時間の不可逆性も束の間解消されてゆくような……

第四信　杉本↓野村

拝受、多謝深謝。ものすごく重要で本質的な論点を、畳みかけるように提示してくださって、ありがとうございます。これは、順を追うしかないですね。(追いきれるかな)

まずベケットとの比較、確かに真逆ですね、なるほどと思いました。と同時に、あの西脇スタイル確立の過程において、補足しておきたい、面白いことにも気づきました。ベケットが母語ではないフランス語に求めた没個性的なニュートラルなありようとはまったく異なる次元で、そういえば西脇も、英語で詩作する体験を通して、ある不思議な「ニュートラル言語」を追うことになったのだな、という点についてです。

じつは西脇は、最初は英語圏の小説家になりたかったんだそうです。外山滋比古との対談で、本人がぽろりと語ってます。しかし、西脇ほどの人でも外国人が小説を書こうとすると、どうしても会話の口語体が、完全には書きこなせない、それで、かならずしも口語体でなくても書ける詩に向かった、と。

まあ、西脇が本格的に小説修行した形跡はないし、ごく一時期の気まぐれのような小説家志望で、詩作にはわりと一直線にのめりこんだのが実情でしょうが、ただ、そんな経緯はあった。だから西脇の英語での詩作は、宿命的に「完全な口語ではない、もちろん完全な文語でもない」という意味でのニュートラルな詩的言語の追求と実践になっていった。あの有名な、よく引用される一節「我が言語は（…）スタイルは文語体と口語体とを混じたトリカブトの毒草の如きものである」の淵源ないし出発点は、やはりこうした英語での追求と実践にあったのだと思います。そしてこの追求と実践は、少なくとも『Ambarvalia』の頃の西脇スタイルの日本語には、そのまま踏襲されていった。

さてこう考えてくると、野村さんご指摘の『旅人かへらず』での「日本回帰」問題についても、ひとつの仮説として、「母語である日本語の、口語ないし口語的なるもの」の浮上、復活、再認識、といった文脈でとらえることも可能かもしれません。土着的というと誤解を招きそうなのであまりこのタームは使いたくないのですが、ニュアンスとしてはそこも含めての「口語的なるもの」です。さらにこの文脈で照らせば、同時期にやむにやまれずものすごいエネルギーを傾けて『Ambarvalia』を改作した、つまり日本語を基本的に外国語として荒々しく扱った『Ambarvalia』を全面的に日本語らしく（?）改作し『あむばるわりあ』と題して刊行してしまったことの謎、その西脇的必然性が、理解できるように思えます。

とはいえもちろん、『あむばるわりあ』への改作はどうみてもやりすぎ、失敗ですけどね。ちなみに『旅人かへらず』の表紙ですが、西脇はもともと浮世絵、好きなんですよ。いつ頃からかは不明で、留学から戻って以降でしょうけど、私などはふと、モネやゴッホがストレートに浮世絵に惹かれていった、むしろあんな文脈との通底すら感ずるほどです。あの表紙の鳥居清長は、とくに西脇お気に入り。でもまあ、『Ambarvalia』の詩人がいきなりあの装幀であらわれたら、普通びっくりしますよね。

さてそして、本題ともいうべき、野村さんからの重要な問いかけ――「西脇の場合、散歩からどのようにポエジーが生まれるのか」、ある意味これは核心すぎて、こう問われるとむしろとまどってしまう。でもなぜ私がとまどうのかと考えると、そこが興味深いところで、けっきょく「（ポエジーの）はじめに散歩ありき」だから、ということなんでしょうおそらく。

散歩とはなんだろう。少なくとも西脇の散歩（私の散歩も？）は、社会生活やもろもろの社会的つながり、つまり一種の有用性の圏内から断ち切れたところで、純粋な無名性と無償性のなかでこの地上を懐かしむようにさすらう行為、とでも形容できるでしょうか。するとこれは、大げさにいえば、いずこからか来たっていずこへか去ってゆく人間存在そのもののプロトタイプ的な漂泊のありようとも、重なるわけです。ま、じっさいの散歩のとき、まさかいちいちそんな大仰な気構えで出発することはありえませんけど、無名の無償の歩行がしんしんと身にしみてくると、どこか、人間存在やこの地上世界のいとなみの根底的な哀愁のようなものに浸潤されてゆくのは実感で、こうなるともう西脇においては（私においても？）歩いているのか詩を書きはじめているのか、ほとんど渾然一体で同義なのでしょうね。西脇も私も、歩きながら詩行を書きつけることはありませんが、そうした漂泊的な散歩の無数の記憶の実感のなかから、机に向かっていると不意に、詩の最初の原イメージというか萌芽のような何かがやってくる。「はじめに散歩ありき」の西脇散歩＝西脇詩学の核心は、あえて私なりに簡略に言語化すれば、こんなところでしょうか。

このあたりの消息とも通じる、鮎川信夫の次のような一節を読んで西脇自身、本当に心底感激し、よろこんだようです。

「私は、しばしば西脇を「散歩主義者」と呼んできた。散歩が、西脇詩の唯一のテーマであるといってもいいくらいだからである。(…) 西脇の詩観は、もともと詩の非実用性に価値を見出したところに成立っていたことを忘れてはならない。その詩観からしても、散歩が唯一の現実的主題とならざるをえなかった必然性があるとおもう。そこから西行や芭蕉の旅に通ずる要素も出てきて、超モダニスト西脇が、グラウンドを一周したところで、古い伝説に守られた詩人と肩をならべるということも起ってくるのである。」(「西脇順三郎」)

私自身の来し方を振り返っても、いま述べた意味での漂泊的な散歩に日々どっぷり浸かるようになって以降、つまりいわばプロの散歩者(?)の自覚が芽生えて以降、『旅人かへらず』や『近代の寓話』からの西脇詩の展開を、本当の意味で理解し、つねに携えては親しむようになったと記憶してます。忘れもしない、私が二十六から二十七になる頃の出来事です。それまでは、プロの散歩者ではないから、なんだかんだいってもやはり『Ambarvalia』=西脇、でしたね。

だから、私が西脇に学んだ、いやいや学んだなどという頭脳的なことではなく、もっと全身的にどっぷり受けとめたのは、こうした「はじめに散歩ありき」の存在論的な詩の発生現場のような時空の総体であって、あとはそこからいかに自分なりの音楽を紡ぐか、むしろ表層的な詩行の書き方のレベルでは西脇から遠ざかろうとすら思ってました。いまもそう思ってます。自分でいうのは変ですが、たぶん西脇の影響の受け方として、これはもっとも本質的なありようではないでしょうか。いや自分でいってしまっては僭越ですね。

さてさて、野村さんが提示してくださった次なる重要テーマ、「西脇詩に頻出するフローラ」についてですが、分量的にだいぶ長くなってきたので、ここではひとつだけ、いま私が気になっていることを述べるにとどめます。『旅人かへらず』以降の西脇の詩行には、ご指摘のようにフローラ(植物群)が頻出するわけですが、こうしたフローラに向けられる西脇のまなざし、です。ひとことでいえば、異様に「素直」なんですよ。この点は、特筆すべきと思います。つまり、植物以外の事象や人間にかんしては、なんというか、野村さんの言葉でいえば基本「ゆるゆると」デペイズマンやら変容の過程でとらえられ、多方向的に時空横断的にあらわれては過ぎ去る。もちろんフローラも過ぎ去りますけど、詩行の、分散する絵巻物的展開のなかで不思議な句読点のように、素直に、まっすぐな実在感で、それをそれと名指して、ありのまま定着させてゆく。このことが、最近妙に気になってます。

第五信　野村→杉本

第四信拝受。西脇をめぐるわれわれのこの往復書簡の、ついに核心、あるいは佳境が語られましたね。「いずこからか来たっていずこへか去ってゆく人間存在そのもののプロトタイプ的な漂泊のありよう」――そう、それが、多方向のダイヤグラム的な矢印というイメージでぼくが言いたかったことなのでした。うまく言い当てていただいて、ありがたき幸せです。

それにしても、「プロの散歩者」がいるとは!!　プロの定義を、行為によってなにがしかの報酬を得る者とするなら、「プロの散歩者」はいったい何を報酬として得ているのでしょう。健康？　暇つぶし？　まさかですよね。かといって、詩は報酬ではないし、あるいは、この世でほとんど唯一の、無償のプロフェッショナル？　そんな語義矛盾にしてアナーキーな存在が、名古屋のどこかを日々うろついているのかと思うと、空恐ろしくもなってきます。かくいうぼくも、かつて『旅人かへらず』の詩人が歩いた東京世田谷のあたりを、毎日狂ったように散歩していますけど。

西脇順三郎から杉本徹へのラインもよくわかりました。なるほど、杉本作品を読んでも、西脇からの影響というのは、少なくとも表層的にはあまり感じられません。でも、そこがキモだったのですね。

表層にだまされてはいけない、杉本徹をひっくり返して、その足裏をよく見てごらん、見事に西脇が刻印されているよ、というわけですね。オイディプスのように？　いやいや、そこまでは追求しません。「こうした「はじめに散歩ありき」の存在論的な詩の発生現場のような時空の総体であって、あとはそこからいかに自分なりの音楽を紡ぐか、むしろ表層的な詩行の書き方のレベルでは西脇から遠ざかろうとすら思ってました」。なるほど、そういうことだったのですね。遺贈を、そこから遠ざかることにおいて引き受ける――心憎いというか、理想的ともいえる先行テクストとの付き合い方で、脱帽というほかありません。

最後に、釣り合いをとるために、ぼくの場合の西脇との付き合い方を示しておきましょう。ぼくの足裏は、すでに述べたように、これまでのところ――ということは、これから先どうなるかわかりませんが――むしろランボーの痣がみえかくれしているので、かえって表層でしか西脇とは付き合えません。つまり、いうところの間テクスト性、ぼくの用語で言えば、テクスト間交流です。西脇の「雨」のパロディを作ったことは、たしか去年のアムバルワリア祭でお話ししました。そこでここでは、さらに最近、西脇の詩をもろに引用した詩を書いたので、それを披露することにします。あるとき、コロナ禍になってからですが、バッハを聴いていたら、なぜか不意に西脇が思い出されてきた、あるいは、西脇を読んでいたら、なぜか不意にバッハが聴こえてきた、そのあたりの微妙な交錯を書いてみました。ぼくの詩にしては、わりとわかりやすい部類に入るのではないでしょうか。そうそう、意図的にフローラも、それから西脇的テーマである「永遠」も出てきます。

頌

まるく琥珀に閉じ込められた

ような秋の日に
もうバッハ
しか聴かなくなりました
きみは手紙で
そのように近況を伝えてきた
おのころ草の群落から
枯れ枯れの百日草の花茎へ
なお強い陽射しのなかを飛ぶ蝶
とともに歩むわれわれには
じっさいもうバッハ
しか聞こえないのかもしれぬ
それが美しいから近づくのではない
近づきたいという衝動がそれを美しくするのです
ときみは書き加えていた
スピノザ
の淡い反映
ぼくはぼくで
ゴルドベルク変奏曲などを聴きながら
秋にぴったりな
西脇順三郎の詩を読み
西脇にはなぜか

バッハが似合う
ことを発見したりした

白壁のくづるる町を過ぎ
路傍の寺に立寄り
曼陀羅の織物を拝み
枯れ枝の山のくづれを越え
水茎の長く映る渡しをわたり
草の実のさがる藪を通り
幻影の人は去る
永劫の旅人は帰らず

読んでいるあいだ
ぼくの耳には
無伴奏バイオリンパルティィータ
の音の唐草模様が
絶えず絡んでいた
それからまもなくのことだ
きみの訃報
がもたらされたのは
どこからか冬蝶も飛来して

ふらふらと庭石のうえに止まる
その翅を覗き込んでぼくは
死んだきみからのメッセージを読み取ろうとした
もうバッハもうバッハもうバッハもうバッハ
も聞こえない
消える永遠の
正しい泡であるべきか
われわれは

＊ゴシック体部分は、西脇順三郎『旅人かへらず』より。

「正しい泡」は、無常迅速の慌ただしさを「正しい泡」とひっくり返した駄洒落で、晩年の西脇が詩を締めくくるさいにしばしば行なった言葉遊びを踏襲する気分でやってみました。

第六信　杉本→野村

拝受。私の散らかした論点を秋の日に蒸留するようにして、美しく穏やかに（なんと詩のかたちで！）まとめてくださって、ありがとうございます。声に出して読むと、『旅人かへらず』のコーダのリズムがやわらかく野村さんの詩行の呼吸に溶けて、幻影の人がいま新たに眼前をよぎったかとも、思えます。ある意味で、よぎっては消え去る幻影の人も、「近づきたいという衝動がそれを美しくする」永遠の後ろ姿としての像なのかもしれません。そしてそれは究極的には、人間そのものの残像かもしれない。前回の私の「人間存在そのもののプロトタイプ的な漂泊のありよう」という言及が、野村さんの詩行に昇華され、織られていって、「消える永遠の／正しい泡であるべきか／われわれは」と終えられてゆくと、そう、この往復書簡も一種の『失われた時』的なコーダを迎えたかと、感じます。

となると以下は、蛇足。

蛇足を承知で少し書きつらねると、西脇とバッハは、確かに相性いいですね。これはまったく同感。なんでしょうね、形式がそのまま無理なく永遠に接続するというか、そのくらい遠大な意味でのフォルマリストである点が共通するというか。無伴奏ヴァイオリンのパルティータ、そうです、さらに、鍵盤のために作曲されたパルティータ1番〜6番の、あの組曲の、強く細緻でありながら自由自在な流れ方とか、個人的には妙にしっくり西脇的にきこえるときがあります。うまく説明できないけれど。

野村さんの散歩圏である世田谷界隈、私も以前は代田や等々力に住んでいたし、世田谷を離れてからもしょっちゅう世田谷全域を歩いて、「(プロの散歩者としての）専門は世田谷」とよく口にしていたくらいなので、たいへん懐かしいです。そしてもちろんご承知のとおり、世田谷は西脇にとっても重要な散歩エリアでした。

西脇散歩のダイヤグラムとなるのかならないのか、ざっくり線描（?）のみ並べてみても、まず小田急線の和泉多摩川駅周辺から多摩川にそって二子玉川に向かう経路（世田谷から微妙にズレますけど）、小田急沿線ではたとえば、成城から喜多見、あるいは喜多見からうねうね二子玉川に向かう経路、成城から砧をへて用賀に向かう経路、用賀あたりから深沢、等々力方面への線、あるいは田園都市線なら下馬、三軒茶屋、池尻、そして目黒川への線、あともちろん甲州街道にそっての京王線のラインもあります。……きりがないですね。

ふと、唐突ですが、西脇が「幻影の人」というヴィジョンをつかんだのも、おそらく間違いなく散歩の途次の、なんでもないどこかの路傍だったのでは、と思います。西脇のような散歩主体がそもそも、多方向的に時空超越的で、つまりは幻影の人の、あえていえば一種の似姿ですからね。

と、こんなささやかな思いつきを最後に記して、終えておきます。本当にありがとうございました。

VS カニエ・ナハ

二十一世紀日本語詩の可能性

2022.9.30

若い世代の現代詩

野村　今日はカニエ・ナハさんをお招きしましていろいろお話をうかがおうかと思います。このみらいらんの対談シリーズもかなり回数を重ねまして、このあたりで中締めというか総括的な回にしたいなと考えまして、それにはカニエさんが一番ぴったりかなと思い、お願いしたらご快諾いただきうれしく思っています。カニエさんをお呼びした理由はいくつかありまして、一つはカニエさんが現代詩の最先端というか、若い世代を代表する詩人として活躍されているので、いま現代詩の前線がどういうことになっているのかお聞きしたいなと思います。というのはぼくはもう古稀を越えて、寄る年波でだんだん世間から遠ざかりつつあって、若い世代の現代詩の動向もよく捉えていないんですね。二つめの理由は、カニエさんは現代詩に隣接する他ジャンル、美術とか音楽とかダンスとか、そういうジャンルにも幅広く積極的に関与してまして、これはあまり他の詩人にはないことかなと思うんですね。たとえばカニエさんの最新詩集『メノト』を拝読しても、もちろんイマジネーションによって加工されてはいますけど、いろんな美術館に行った記憶とか映画を見た記憶とかがベースになっているような気がするんです。そういうところから、今の現代アートのシーンと現代詩の接合点、コラボの可能性などをどうお考えになっているか伺いたい。というのはぼく自身も若い頃はダンスや音楽や美術とのコラボもやったことがありまして、いまはもうだめなんですけど、ちょっと興味があるんです。それからこの対談シリーズ自体が最初の三、四回はぼくがコラボレーションをした他ジャンルのアーティスト、作曲家や美術家を招いて対談しています。そういうこともあり、コラボレーションということに対して非常に関心があります。それから第三の点はやはりアートと関係があるんですけど、カニエさんはご自身が装丁に携わっていたりとか非常に造本というか書物の物質的形体に対する造詣の深い方で、そのへんの話も聞いてみたいなと思います。以上の三点なんですけど……

カニエ　けっこう盛りだくさんですね（笑）。

野村　とりあえず現代詩の今の状況を。世代的にもいくつか分かれると思うんですけど、ぼくが知っている限りでは、たとえばいわゆるゼロ年代詩というのがありました。中尾太一さんとか岸田将幸さんとかに代表されるような。カニエさんあたりはそのゼロ年代詩の傾向とも違うような気がする。ゼロ年代詩、中尾さんや岸田さんは絶対抒情主体とか、非常に抒情というものを強調する。言い替えると「私」ということなんですけど。それに比べるとカニエさんの最新の『メノト』なんかを拝読しても、そういう抒情性はむしろ希薄なんです。「私」を超えたなにか別の主体の蠢きがあり、それはまず第一にノンジャンル的で、つまり映画や美術の富を貪欲なまでに吸収していくような感じ。それからもう一つはジェンダーレス、ノンセクシュアリティと言いますか、この作品では具体的に男がいなくなった世界とかが書

カニエ・ナハ

かれているわけなんです。やはりゼロ年代詩とは違う雰囲気を感じる。そのへんのところから、カニエさんご自身の立ち位置、それから自分の周りにいる主な書き手との共通点や違いをかいつまんでお話ししていただけますか。

カニエ　難しいところですが、十年ごとにその年代を総括する特集みたいなものが「現代詩手帖」などで組まれるので、なんとなくそのパースペクティブをまとめることによって、次の入れ替わったテン年代を迎えた時のヴィジョンを意識的にせよ無意識的にせよみんなが考えるというところがあったと思います。ゼロ年代と名づけられていたものから、二〇一〇年代、いわゆるテン年代になったときにどういう方向に進むか。私は二〇〇八、九年ぐらいに投稿欄にいて、デビューしたのが二〇一〇年です。「ユリイカ」と「現代詩手帖」両方に投稿していて、ラッキーなことに選者は二〇〇九年「ユリイカ」が伊藤比呂美さん、「現代詩手帖」が井坂さんと高貝さんだった。伊藤さんの方の「ユリイカ」で十二月に「ユリイカの新人」をいただくことになり、二〇一〇年一月号でデビューした形なので、テン年代の丁度スタートにいた。上の世代を見ていて、ゼロ年代詩を読んでいてすごいなあと思いつつ、なにか自分が書きたい詩とは違うということを感じていた。同世代の詩人と話していてもみんなゼロ年代への憧れと反発がある。具体的に言うと岸田さん中尾さん、亡くなってしまった安川奈緒さんといった方達が書いていたものです。私よりちょっと上の望月さん、高塚さん、白鳥央堂《ひさたか》さんとかはゼロ年代のムードとテン年代のムードの橋渡しみたいなところにいる詩人だと思います。端的に形式の上でゼロ年代からテン年代になにが変わったかというと、やっぱり一行が短くなったと感じています。その一番最初が一方井亜稀さん。一方井さんの第一詩集『疾走光』がまさに二〇一〇年だったと思うんです。一方井さんが「現代詩手帖」に投稿していた頃はわりと長い難解な詩を書いていたんですが、詩集になったときにいきなり一行が短い行分け詩で余白が多い詩集を投げてきて、中尾さんや岸田さんに代表される、一行がものすごく長くてある意味難解晦渋で読者への負荷も多いと感じられるあのゼロ年代のムードを断ち切り否定するかのような『疾走光』という詩集にすごく驚いた。その半年後ぐらいに出てきた暁方ミセイさんの『ウイルスちゃん』という詩集もやはり基本は丈の短い行分け詩で、途中行分けではないパートがインサートされているスタイルで、私が認識している限りではその前に出た文月悠光さんなんかもテン年代の詩人だと思うんですが、彼女も短い行分け詩の間に散文パートをはさむ。いつだったかツイッターかなにかでエルスールの新人賞も受賞されてる鈴木一平さんが、行分け詩の中にはさまる散文詩的なパートをロックでいうギターソロと呼んでいて、わかるようなわからないような、でもそこだけちょっと違ったレイヤーがはさまる。なにかゼロ年代の雰囲気とか端的に一行の長さとか重さを断ち切るような感じで出てきた。私はそれをネオ抒情詩みたいに呼んでいたことがあって、ゼロ年代とは違った抒情のあり方、もうちょっと軽やかだし、「私」というところに拘泥しすぎない。たとえば　方井亜稀さんの『疾走光』という詩集も、彼女は写真集とかカメラがお好きなようで、西脇ではないけど、外に出てシャッターを切るように、彼女が住んでいる仙台の郊外のなんでもない風景を徘徊するなかで取り残されたようなものもありつつ、そこにポエジーを見出している。ある意味カメラアイで切り取った写真集のような詩集と私は受け取っています。賢治の孫と称される暁方さんの詩集『ウイルスちゃん』も、東京からちょっと離れた、生まれ育った神奈川の山あいの、自然が半分残っている、半都市の風景の中での自然との交感する自分の身体みたいなものを賢治的な感性で神話の世界に飛翔させる詩を書いている感じです。ゼロ年代の思想や哲学がベースにあったりするのとは違った、外界と交感する、外界との接触や擦過によって生まれてくる身体性がある。西脇順三郎の系譜の散歩詩人に今挙げた二人も入れてもいいかもしれない。そうした散歩性、身体性、歩行性を取り戻して、かつ軽やかなんですよね。

野村　カニエさんの詩集『メノト』を読んでも非常に軽やかなんですよね。ただしその軽やかさは普通に言われる軽いという感じではない。なにか求心性からほどかれたというか、重力からちょっと自由になったというか、そういう雰囲気を感じるんです。ゼロ年代詩の作品はどちらかというと求心的で自ら重力を作ってそこに言葉を繋ぎ止めようとする行為だとすると、ちょうどその逆です。なにかから解き放たれて自由に浮遊しているような感覚を楽しむような、そういう軽やかさですね。

カニエ　垂直軸における対比みたいなのはありそうで、たしかに沈潜していく感じがゼロ年代にはあったのに対し、どこか浮遊していくというか飛翔を目指すというか、そういったところがあるような気がします。また、時代の速度が速くなってしまったのか、二〇一〇年代は前半と後半にまたムードが変わったように感じていて暁方さん、一方井さんのほか、岡本啓さんもやたら歩く詩人でアジアを旅してドキュメンタリータッチで散歩詩人として軽やかな文体で書かれた詩集ですごい評価されている。野村さんの詩の話を暁方さんとしたことがあるのですが、われわれの上の世代は稲川さんや荒川さんをよく読んでいるのに対して私とか暁方さんは野村さんを読んでいる。それは今回の『対談集』の小林康夫さんとの対談で語られる世代差と符合するように思います。この対談を読んだとき、なにかリフレインしているようでした。それで、岡本さんがいて、その後になると今度は散文詩のすごく長いのが流行る。

野村　そうですよね。あれも不思議です。

カニエ　中也賞で言うと、私の前が岡本さんで、その前が大崎清夏さん、この方も一行が短くて軽やかな詩人ですよね。私の次が野崎有以さん、散文でやたら長い。太宰的と言うか。小説なのか詩なのかという。そのあとのマーサ・ナカムラさんも散文詩です。譚詩。そのあとが井戸川射子さん。そして水沢なおさん、ライトノベルを装った小説なのか詩なのかジャンルが不分明な……。その傾向で、しかもずっと女性が続いている。そのあとが早稲田の伊藤比呂美教室から出てきた小島日和さん。その次が慶應の國松絵梨さんです。私のあとはずっと女性なんですよ。

野村　女性でわりと散文的な作品を書く人たちですね。

カニエ　それに対してH氏賞のほうは男性が多かったり、エルスール財団新人賞もオルタナティブな位置で男性が続いている。エルスールの去年の青野暦さんも小説を書いているから小説的と言うか物語のワンシーンのような詩の方ですよね。青野さんもテン年代後半のムードの方だなと感じます。

野村　そう。だいたい流れがつかめてきました。散文化というのは大きな傾向ですよね。カニエさんの『メノト』という詩集も時代を反映しているのか、ある意味非常に散文的なんですよね。ただ他の人の作品と違うのは、散文の中で不思議な屈折が起こるというか、異化作用が起こるというか、散文だと思って読んでいるとはぐらかされるようなところがある。途中で突然そこにポエジーが入ってきたり。淡々と散文的な書き方をしている中で、彼女は時間を脱いでロッカーに預ける、とか、さり気なく飛躍しているところがあるんです。一見散文なんだけど、散文の中にさらにもう一つ仕掛けを作って、そこに何とも言えない不思議な詩の可能性を感じるんです。散文を突き詰めると普通に考えれば小説に行くわけです。でもカニエ作品を追求してもこれは小説には行きそうもない。もちろんナラティブもあるし、人物を動かすこともあるし、普通なら小説ですけど、でもなにかそこに行かないような気がするんです。それはどこかに折り返し点、屈折点があって、そこで詩を仕掛けてるんですね。昔の詩のようにこれは詩だぞという呈示の仕方ではないんですけど、さりげなく登場人物を出し、その行動を書いているように見せて、実はとんでもないところに読者を連れていく。これはあくまでもぼくの感想ですけど、面白いなあと思うんですね。ただ、他の人たちがカニエ作品をどう読むか。どんな感想がありましたか。

カニエ　散文調だけどこれは詩だねみたいなことを言って下さることが多いんですけど。私は詩人が小説を書く出稼ぎがしたくて、小説の方に徐々にシフトできないかなと思ったんですけど、意外と小説にならない（笑）。

野村　ぼくの直観だと、この『メノト』はいかにも小説的な雰囲気があるんですけれども、小説にはいかないと思うんですね。詩だと思います。すんなりと散文に行ける人もいるんですね。青野さんの場合はむしろ書き分けてますよね。もともと散文の資質のある人もいて、日和聡子さんなんかそうです。もともと詩人的資質が過剰で小説を書こうとしても詩になってしまう人もいて、ぼくなんかもそうです。これからいろいろ試みられたらいいと思います。現時点でのぼくの感想はそんな感じです。

隣接するジャンルとの交易

カニエ　この『対談集』の北川健次さんとの対談を読んでいても、野村さんは連作を違う媒体でやっていて詩集にまとめられる、あれはすごく美術家的だなというふうに感じて、北川さんも銅版画をやりながらオブジェをやってて、並行してアトリエの別の場所か違う時間帯でかでやられていて、そのことによってそれぞれの作品にちょっと影響がある。野村さんも並行していろんな連作を書かれていて、お互い似たフレーズとかモチーフも出てきながら、連作がまとまって一個一個の詩集になっているという感じがすごく面白い。これは詩集でありながらそれぞれが別のギャラリーで開かれている個展の成果みたいな風にも見えるんです。詩人と言うよりも美術家的な制作プロセスもすごく面白いし、私自身もすごく影響を受けていて、私も詩集ごとに制作方法を変えることから始めるんです。『メノト』という詩集は夢ものにまた回帰したいと思って、子供を寝かせるので十時前には寝てしまうんですが夜中の二時ぐらいにむくりと起き上がって、あまり頭が冴えないうちに取りあえずパソコンを開いてなんでもいいから書き始めるんです。それで一、二時間あまり考えずに書いて、ぱたっと閉じて、四時ぐらいに寝る、そういうことを一、二か月やったんです。詩集に入れる作品はあとで推敲しようと思って取りあえずばーっと書いておいたんですけど、読み返したら推敲しないでこのまま出してしまったほうがいいと思って、誤字だけ整えて出したというのがこの詩集なんです。

野村　それがかえって面白いのかもしれませんね。たしかによく読むと破綻とかあるんです。

カニエ　破綻だらけで、設定も変わっていたりして小説としてはちょっと。

野村　でも無理がないというか、自然な変容ですね。

カニエ　夜中の演奏会というか、野村さんの詩集を読んでいても、意味は通じなくても音がメロディというかリズムをなして気持よくてぐいぐい読まされてしまう詩篇が多くてすごく音楽的なんですよね。

野村　音楽的というのはぼくの作品によく与えられる感想なんですけどね。カニエさんの作品ももちろん映像もちゃんと浮かび上がってきますが、でもやっぱり音楽的なところがありますね。もっと言えば、半分眠りながら書いていたとのことですが、たしかに半睡状態で書かれた雰囲気があるんですよね。言葉が硬質な結晶としてカチッカチッといくのではなくて、滲みながら、あるいは揺らぎながら、なんとなく進んでいるような、そしてそこに記憶の層からの滑り込みがあるといいますか、それはカニエさんが常日頃いろんな他ジャンルのアートシーンに触れているのも大きな要素になっていると思います。連作ですからなんとなく連続性はあって、一つの大きな連続性は、さきほども言いましたが男がいなくなっている世界、ジェンダーレスというか、つまり近未来的な設定ですね。一種のSFとして読めるんです。そして女の方も昔の言い方をすると石女《うまずめ》、石胎、不妊症の女の人を昔は侮蔑的にそう言ってたんですけど、そういう古いイメージから具体的に石のイメージを取り出していく、つまり非常に美術行為に似ているんですね。それからわれわれがしているマスクのように、そこに登場する人物は大体顔を覆っている。目だけが存在しているような、そういう人物が多いんですけど、それだけではなくて街全体が布で覆われたりしている。たぶんクリストが踏まえられていると思います。そういう非常にさり気ないんだけど、美術行為とのアナロジーもしくは美術の記憶を滲ませていくと言いますか、そのへんが少し他の人と違うところだと感じたんです。カニエさんはあらゆるアートのシーンに詳しくてご自身もパフォーマンスをしていますが、もともと美術やダンスを志したり、そっちの方から来ているんでしたっけ？

カニエ　演劇やダンスをちょっとやったことはあったんですけど、どれも長続きしなくて流れ流れて詩に帰ってきた。美術はずっと好きで、見ることはすごくしていて、どんどん高じてきて、去年は数えたら美術展とか細かいギャラリーとかも入れて六百とか七百ぐらい見ました。

野村　とんでもない数じゃないですか！

カニエ　散歩とセットなんですよ。そういう趣味なんです。野村さんが女性的だと『対談集』の中で有働薫さんが指摘してましたよね。

野村　よく言われます。

カニエ　野村さんはお姉さんと妹にはさまれて女系家族で育たれた影響もあるのでしょうか、エロいとも言われつつジェンダーレスな感じもじつは暁方さんとか私が野村さんの詩に引かれるポイントの一つではないかと分析するんです。私たちの世代はジェンダーにある意味敏感というか、ちょっと違ったところに入ってきているのは、私の想像だと、ネットが普及してきて今だとデジタルネイティブと言われる世代ですけど、私なんかも十代の半ばぐらいからインターネットが入ってきた。インターネットの中だと性別を偽ったり、今のメタバースでは性別を自分で選択して男性が女性として存在したりする。ジェンダーレスということがすごくナチュラルになってきているんです。

野村　それが不思議です。

カニエ　そういう傾向を詩人たちが先取りする。女性でよく「ぼく」という人称で書く人も多いですし、普段の属性とか身体、性別から自由になれるというのが詩の一つの良さで、モチベーションとしている人も多いかもしれない。ゼロ年代に比べてテン年代の詩人たちが互いにぶつからないのはそういうところもあるのではないか。互いを尊重しながら距離をとって立っている。どんなものを書くときも全部一人の自分で引き受けなければだめだというのには違和感があるのです。水無田気流さんとか蜂飼耳さんとか最果タヒさんとか男性か女性かわからないペンネームで書く人は、私もそうですが、おそらく（本名とは）違う意識になる。和光大学での私の詩の授業は毎回「詩とナニナニ」というテーマにしてその境界面でどんなことが起こっているかという事例を紹介しながらそのテーマで書いてもらうんですが、第一回目は「詩と名前」のテーマでやりまして、ペソアの異名者の話をして、作品ごとにペンネームを作ってもいいよと話をしましたが、それぐらいのスタンスで詩を書くことで違う自分になる、詩ごとに違う自分で書くみたいな。なので『メノト』という詩集はタイトルが全部人の名前になっているんですけど、毎回メタバース的にそのキャラクターに私がなって、そこに入って書くみたいな気持ちもどこかありました。

野村　面白いですね。全部実在する名前ですか？

カニエ　一部フィクションもあって、ネタバレになりますが、女性の美術作家の名前とかのモチーフを入れていて、「田村珠羅《たむらたまら》」はタマラ・ド・レンピッカ、「三瓶笑理《みかめえみり》」はエミリー・カーメ・ウンブワレーという女性画家です。私が偏愛してきた女性アーティストの作品とか作家論を詩で、しかも無意識で詩でやるみたいなことをやっているんです。かつての私の『用意された食卓』という詩集は全部写真家なんですが、そのヴァリエーションみたいな感じです。

野村　写真なり美術なり、かりにそれを素材と言いますと、そういう素材を持ってくるやり方がすでにして美術行為に近いと言いますか。

カニエ　批評というか、図録や伝記なんか読んでいてもそれなりに面白いんですけど、読み解き方とか美術作品の感知の仕方とかもっと違うものも感受できているはずだというところがあって、タマラ・ド・レンピッカの絵とか作品から受けたなにかを詩という形でお返ししたかった。『対談集』の阿部日奈子さんとの対談で先人たちに対しての違ったアングルからバレエ化した作品の話がありましたが、あれに似ているかもしれません。私なりの先行作品へのオマージュあるいはリアクション、批評、感想みたいなことです。

野村 それはとても興味深いし刺激的だし面白い試みですね。どこかに批評性がないと詩は痩せてしまう。

カニエ 私は毎年詩集を作っているんですけど、野崎さんとかマーサさんとか出てきて、散文調の物語の詩が主流のようになったとき、これでは詩がダメになると思って逆張りをしてすごく短い詩ばかり書いていて、ソネット形式の詩を二年間で百篇ぐらい書いたんです。二冊の詩集にしましたが、全然反応がない（笑）。

野村 それもシンクロしてますね。ぼくもずっとソネットを書いているんです。

カニエ どちらに？ まだ詩集にはなってないですよね？

野村 なってないです。以前「ガニメデ」という雑誌がありまして、あそこに連載していたんですけど、「ガニメデ」がなくなったのでそれから進行が遅くなったんです。でももう八十篇ぐらい書いています。それが百篇になったらまとめようとしているんです。ぼくも根が天の邪鬼なのかもしれないですけど、散文的な作品にはそれなりの良さや面白さが勿論あり、マーサさんの作品も水沢さんの作品もとても素敵なすぐれたものだと思うんですけど、あればっかりだとどうよという批評精神はどうしても働いてしまう。ぼくもどちらかというと「逆張り」の方向に行っています。これは詩論的にも言えることでして、ぼくは最初の頃はどちらかというとメトニミー、換喩を強調するような論を立てていたんです。その時代は詩はどちらかと言うとメタファーで書かれるという通念があったものですからメトニミー的な、散文的・小説的な手法で書いた面白い詩がありますよと金子光晴を論じたりいろいろやっていたんですけど、最近はどちらかと言うとメタファー擁護論になっているんです。一種の逆張りですけど。そうしたらがちがちのメタファー論者の野沢啓さんが『言語隠喩論』という本の中でぼくのことを暖かく揶揄してくれているんです。変だぞ、野村は昔はメタファーを否定してメトニミーを強調していたのに最近は先祖帰りをしたのかメタファーを強調している、こいつは骨のない奴だなんて言われてるんですけど（笑）。つまり状況に合わせて変わるところがありまして、天の邪鬼というかひねくれ者なんですけど、ちょっとやはり散文的すぎる詩が多すぎるので、それは少し逆張りをしないと詩そのものの基盤が崩れてしまうような気がするんです。

カニエ　野村さんらしくふらふら遊歩できる散歩者ならではの、こっちの道がだめならこっちという彷徨を積極的にされている。その成果がこれだけの数の詩集と詩論とその他というのに結実している。

詩集の造型と生命

野村　もう一つカニエさんに付随的に聞きたかったのは、カニエさんは作品の発表形体についても時代を変えたというか、私家版のような形で詩集を作っている。わりと小さいサイズで年次詩集のように頻繁に出していく。そういう発表形体をとっているんですけど、それはユニークで面白いと思う反面、いつかは、五年とか十年に一度ぐらいは総合的な詩集を出してほしいんです。何故かと言うと、失礼ながら、記憶にあまり残らないんですよ。小さな形で少しずつ発表していくとその時点ではいいかもしれませんが、どこかでどーんとハードカバーなんかで出してもらえると、印象が、カニエ・ナハはこの時代にこういうものを書いたんだというのが一つまとまりとして現れてくるような気がするんです。その辺はどうなんですか。

カニエ　そういう機会やお話があれば出したいんですが、私が自分でどんどんやってしまうからということもあるでしょうし、あとお金もなかなかないんですよ。

野村　それは若い人の共通の問題点ですけれども。だんだん出版ということが難しくなってますからね。非常に大きな問題だと思うんですけど、経済的な問題を無視すれば、やはり五年や十年に一度ぐらいは総合詩集を出すべきだと思います。そうしないと折角の優れた作品が埋もれてしまうんじゃないか。

カニエ　流通する形の詩集を出したいですね。いま作っているのは通常の流通形体とまったく違ってしまっていて、私としてはアートピースみたいな気持ちで作っています。朔太郎の『月に吠える』という詩集がすごく好きで、表紙にタイトルがないじゃないですか。あれについて今度の「萩原朔太郎大全2022」の図録にも書いたんですけど田中恭吉と恩地孝四郎とのコラボレーションで詩集という以上のアートピースなんです。あの衝撃、憧れがあって。あれはよくできましたよね。

野村　あれは偶然の所産ですかねえ？

カニエ　でも相当朔太郎の気合が入っています。相当自信作で煥乎堂という今も前橋に残っている店のショーウィンドーに飾ってくれという手紙を書く。

野村　しかもそれまでほとんど無名と言ってもいい朔太郎がああいうことをやるんですからね。

カニエ　朔太郎の装丁家としての勘もよくて、『猫町』とか川上澄生も出会いは川上澄生の版画集かなにかを本屋の店先で見つけて、すごくいいから次回頼もうと決めて、装画を描いてくれと自分でオファーしたらしい。与謝蕪村の本も川上澄生の表紙がすごくよかったりする。

野村　センスがいいですよね、朔太郎は。

カニエ　野村さんの本もすごく好きです。野村さんの詩集は毎回デザインががらっと違いますよね。

野村　それは装丁者を変えているからだと思います。ぼくの意向はほとんど出さずに、装丁者のやりたいようにしてもらっているんで。それで毎回結果的に違った形になるんです。

カニエ　そこがむしろかなり意図的、戦略的に変えているように見えるんですけど。

野村　そんなことなくて、全部装丁者にお任せです。

カニエ　そこが不思議で、ありきたりのフォーマット通りのような詩集が野村さんにはなくて、どれもそれぞれの詩集に合った、キャラが立っているデザインです。

野村　二つ理由があると思うんですけど、一つは装丁者を毎回変えること、もう一つは版元も少しずつ変えているんです。それもあるかもしれません。

カニエ　版元はあえてローテーションですか。

野村　そう、ローテーション的に変えているんです。書肆山田の詩集は特徴があってすぐわかるとか。

カニエ　私が初めて野村さんの詩集を買ったのが『ＺＯＬＯ』だったんです。野村さん御本人を知る前で、かつ詩集もまだそんなに持っていなかった頃で。奥付を見ると二〇〇九年なんです。ちょうど私が投稿しながら現代詩人をちょっとずつ勉強していった頃です。

野村　それは井原靖章さんだったかな、装丁者は。

カニエ　そうです。そして表紙を飾るのは、今回の『対談集』にも登場する北川健次さんの作品。そのころの私の詩集の集め方というのはデザインで集めていて。詩集は他の本に比べてどれも異質なデザインで、本屋の中で輝いて見える。この間亡くなった菊地信義さんのものとかすごく目立ちますし、そのへんを集めていたんですが、あるとき、今はなき新宿のジュンク堂書店でこの『ＺＯＬＯ』が平積みで置かれていて、なんともかっこよく、手に取ってみると紙の質感がまた特殊なんです。包装紙みたいな質感と、開いたときに出てくる見返しのこの赤の鮮烈さ、そして読み進めていくと詩と装丁が響きあって優雅なエロティシズムが感じられて、この本のたたずまい、デザインのエロティシズムにすごく惹かれて、いまだに大好きな一冊です。

野村　ありがとうございます。ほとんど評判にならなかった詩集です。

カニエ　そうなんですか!?　私はこれから野村さんに入っていまだに好きな一冊ですが。いま野村さんの詩集は二十冊くらいですか？

野村　もっとあります。単行本詩集だけだと二十七、八冊ですかね。

カニエ　現役の詩人の中では谷川俊太郎さんに次いで多いですよね。

野村　いや、馬鹿の一つ覚えで（笑）。

カニエ　『閨秒のなかで、ふたりで』もすさまじい。「エロい詩集」と帯に書いてある（笑）。

野村　それはぼくが考えたんじゃないんです。編集者が考えたんです。

カニエ　手触りもエロティックで、紙というものが今の時代あらためてエロティックですよね、この実在が。表紙を開いた時の鮮やかな見返しの浮世絵もすごくエロティックでセクシー。中の詩とすごくリンクしている。

野村　その見開きの絵も装丁者が選んだんです。

カニエ　見開きがいい詩集は本としてよくて、書影だけだとネット上でも出るんですけど、本を開いた時の驚きとか喜びとか官能性が……

野村　それはさすがに装丁をやっている人ならではの意見です。

カニエ　こんなのが隠れていたのかというのがまさに『閨秒のなかで、ふたりで』という詩集と相まってすさまじく素敵です。これで（『ＺＯＬＯ』と『閨秒のなかで、ふたりで』を並べて）思い出すのが西脇の『ambarvalia』と『旅人かへらず』で、どこか呼応している。ある意味、現代の西脇です。

野村　ありがとうございます。そう言っていただけると嬉しい。偶然の一致ですけど。

カニエ　西脇の『旅人かへらず』に浮世絵があしらわれているのとどこかリンクしています。この『街の衣のいちまい下の虹は蛇だ』の見開きもすごい。

野村　その見開きに全ページの言葉が載っているんです。

カニエ　すごいですね。「デジャヴュ」ですね。すさまじい。

野村　それは鈴木一誌さんのアイデアです。

カニエ　『閨秒のなかで、ふたりで』は本文もピンクの色で印刷されている。こういう詩集も珍しい。野村さんならありというか。色もまた音をまとっている。『デジャヴュ街道』は……

野村　それは宗利淳一さんの装丁です。

カニエ　これも手触りがいい。街道の感じも表しつつ、野村さんの詩によく出てくる蛇的なものを記号化している。今の時代の本＝オブジェとしてずっしりと重みがありつつ、この蛇の触感を指先に感じながらデジャヴュ街道を私たちは辿るわけですよ。無意識的にずっとこの紙の質感を感じながら読む。

野村　そうですよね、本を読むということは。

カニエ　これはネット上で読んでいたのでは絶対に感じられない本を読む経験です。この指先の感覚でデジャヴュ街道を感じる、そういう経験なんです。『よろこべ午後も脳だ』は縦書きと横書きの詩が収められています。最果タヒさんも縦横が混在している詩集を出されていた。ネットで詩を発表する方がけっこうナチュラルに横書きで書く。学生さんに詩を提出させると横書きで送ってくる子がけっこう多くて、われわれは詩は縦書きだろうと思うし、もともと日本語は縦書きに向いているんだけど、ネット世代の子たちは横書きがナチュラルなんです。そのリアリティというものがあるので、そういうところが詩でも前景化してきたタイミングですごくフレキシブルにこうして縦横混在の詩集を出された。

野村　ぼくも思ったんですけど、カニエさんの『メノト』という詩集は人を食ったような構成になっているんですね。ぼくの場合は真中が奥付になっているんです。『メノト』はまるで映画の構成のようにある程度映像が流れたあとにタイトルが現れるみたいな、三分の一ほど読み進んだところではじめてタイトルが現れるんですよ（笑）。ここから本が始まるような感じなんですね？

カニエ　そうです。そこは拘りポイントで、見ていただけて嬉しいです。十年ぐらい前の『オーケストラ・リハーサル』という詩集は一番最後の詩篇が終ったところでタイトルが出て目次で終わりでした。リハーサルなので。

野村　これは遊び心ですかね。

カニエ　『オーケストラ・リハーサル』が約十年前でそのときもわりと夢的なもので書いていて、書きぶりが自由だったので読み返したらけっこういいなあと思って。ソネット百篇にがんじがらめになって窮屈になっていたので、原点に戻ってこの詩集の続きを書こうと思ったんです。「オーケストラ・リハーサル」はフェリーニの後期の映画のタイトルで、フェリーニの次の映画が「女の都」です。今のフェミニズムから見ると酷い内容なんですが（笑）、それをリノヴェートしてあげようと。調べると長崎に「女の都」と書いて「めのと」という地名があるんです。いくつか地名の由来はあって、一つには平家の落武者から女性だけ流れていってそこでコミュニティを形成したのが由来という説があってイマジネーションを刺戟されたので、そんなところから、女の都、めのと、というフェリーニつながりの詩集にしました。そういう面白い詩的なセレンディピティってあるんですよね。『用意された食卓』という詩集はニエプスの最初期の写真につけられたタイトルから、全て亡くなっている写真家にあてた二十五篇をたしか半年ぐらい書いていって、八月三十一日でこれで完成と思って閉じたら驚くべきことに翌日に中平卓馬さんが亡くなられて……。その詩集の続編は『馬引く男』というニエプスのもう一つの最初期の写真のタイトルでいこうと決めていたんですけど、中平卓馬は名前の最後に馬が入っている、馬引く男なんです。

野村　それはほとんどシュルレアリスムで言う客観的偶然ですね。

カニエ　驚いてしまって、まだ書き始めてもなかったんですけど、これでこの詩集は完成したなと思いました。日付も入れていて二〇一五年九月一日という中平卓馬が亡くなった日から二〇一六年九月一日という日付を入れた詩集が『馬引く男』です。中平卓馬の『なぜ、植物図鑑か』という本をずっと横においていろいろモチーフを入れてきています。野村さんもそういう詩的セレンディピティが多いと思いますが。

野村　多いですね。いちいち話すと夜が明けてしまう。そういうカニエさんの遊び心、企み、客観的偶然に対する感性、そういうものを活かせる詩人はそんなにいないと思うんです。だいたいみんな個から出発して、夢の記述ぐらいはしますけど、そういういろんな文化的コンテクストの上に立って詩作をするような詩人は、ちょっと入沢康夫的です。ぼくも入沢さんのそういう試みを継承したいと思っていた。カニエさんもそういう流れ、系列に入っているのかなと思います。入沢さんは自分の詩の謎について語り出すと切りもないぐらいに語るんですよ。一種のネタばらしではあるんですけど、それがまた面白いんです。語る必要はないんですよ、ないんだけれども、そういう膨大な背景の上に自分の詩作が成り立っている、これは西脇もそうですけど、そういうラインを継承していただければ、ぼくのようなロートル詩人にとっては嬉しいですね。西脇—入沢—野村—カニエみたいな系譜ができると嬉しい。

カニエ　畏れ多いです。今のお話を聞いていて思い出したんですが、『花冠日乗』は珍しく自注的なノートがついている。

野村　それも入沢さんを真似たんです。

カニエ　これが面白いんです。朔太郎もときどき自注があって面白い。それが別の詩になっているみたいな。これはなぜノートがついたんですか?

野村　入沢さんが『わが出雲・わが鎮魂』で自注をつけたように、あれはまたエリオットの『荒地』の真似なんですけど、ぼくもそれはこれまであまりやったことがないので、では思い切って自注をつけようかと。そういう試みです。『花冠日乗』は写真家と音楽家とのコラボレーション作品で、彼らがいなかったらできなかったような本なので、ちょっと特別な意味があるんです。

カニエ　これはコロナ禍で隔離と言われながら水を得た魚のように嬉々として歩きまわって（笑）。

野村　本当に歩いて書いた詩ですから。

カニエ　この時期しか書けない、ある意味逆張りと言うか。

野村　ドキュメントです。

カニエ　素晴らしいです。本当に面白くて、歩行詩人としての野村さんならではの歩行の詩と、パロディみたいなものもいつになく多く出てくる。写真も入っていれば音符も入っている。今までにない。

野村　自分で言うのもあれですけど、すごいコラボレーションになりました。ＱＲコードで実際の音源にもつながっているわけですから。

カニエ　音符がはさまることでメロディが聞こえてくるように野村さんの詩の音楽性をあらためて感じるし、写真が持っている音楽性もあり、すごく豊かな重層的なアートになっていて、なかなか語り切れません。日付が出てくる詩というレイヤーでも面白い。「非馥郁と」の章に出てくる「ひりひりとひかりの繊細なほつれのなかを」このメロディ、音の美しさ。これがリフレインされる。日付も五月七日とあり、「大原二丁目交差点付近」と地名がある。

野村　実際にそこで書いたんでしょう。カニエさんからも指摘されたように、西脇の『旅人かへらず』を意識して書いたんです。

カニエ　これまでも『久美泥日誌』とかも、旅人かへらず的でしたが、ここへきてコロナ禍という特殊な状況の中で……。

野村　おこがましいですけど、西脇にとっての戦時中という感じです。『旅人かへらず』よりはぼくの『花冠日乗』のほうがはるかに生臭いですけど（笑）。そういう極限的な状況を背景に詩人がうろうろ歩きまわっているという、そういう状況設定なんです。

カニエ　危機的状況なんだけど、どこかそれを楽しんでいるような（笑）。

野村　非常に不道徳な（笑）。

カニエ　不道徳、不謹慎さが詩人らしいし、すごく救われる。連載されていてウェブでも見ていたんですけど、この危機的状況で駄洒落みたいなものさえくり出しながら嬉々として詩を歩きまわってつむいでいる詩人がいるという、その徘徊詩人の批評性を感じて、それがまた一冊の軽やかな本になって、それが写真集でもあり音楽もありという……。

野村　それは奥定泰之さんの装丁なんです。

カニエ　本当に毎回装丁家が変わるんですね。野村さんの多面性を端的に本で示しています。

野村　詩人の書くスタンス、意識の問題ですけれど、さきほどペソアの名前が挙がりましたが、野村1、野村2という感じで、本当はペソアみたいに名前を変えて、この詩集にはこういう異名を、この詩集には違う異名をとやるのが理想なんでしょうけどそれだとペソアの真似になってしまうし、しかもペソアは深刻な多重人格の問題を抱えていたらしいんです。異名はただの遊びではなかった。いずれにしても、ペソアのようにはもちろんなれないんですが、主体を一方向的に限定してしまうのではなくて、一作ごとに揺らぎながらあるいは変容しながら一つの作品を作っていく媒介者みたいな、自由な位置に自分を置きたいなという気持ちがあるんですね。それはさっきのカニエさんのコメントの中にも語られていたので、カニエさんも多分そういう気持ちをお持ちになっているんだろうと思うんです。

カニエ　面白いですね。詩集は詩人にとってのボディであり、詩人が死んだあとも本として残る、もう一つの身体です。それがこれだけ豊かというのは、ペソアの異名者ではないですけど、野村さんの姿が変幻自在だというのがこれらの詩集を並べたときにあらためて物体として感じられるなと思います。伊藤比呂美さんが菊地信義の装丁とずっと歩行を共にしてこられたのとは真逆で、どっちがいい悪いじゃないですけど、面白いです。『妖精DIZZY』も、これだけご自身の詩集を他者に委ねるというのはすごいことで、どういう心理なんですか？

野村　たぶん成りゆきだと思うんです。ぼくの原テクストが赤い方の本です。それをそのまま詩集にしてもちょっと密になり過ぎていて読者は読み通すのが困難だろうということで、編集者との相談の中で、思い切っていぬのせなか座の山本浩貴さんに預けて、いかようにも解体して下さいみたいにしたんです。作品の性質上そうなったのかもしれません。生のままだと余りにも読みにくい（笑）。山本さんがページレイアウトをしたことで読みやすくなったかはわかりませんけど、少なくとも立体的でメリハリのあるものになった。

カニエ　こんなに料理されてゴーサインを出せる詩人はなかなかいないと思うんです。そこが野村さんの強さでありしなやかさであり詩人としてのユニークさで、ここへきてさらに過激になってきている。

野村　でも言語は共有物ですから。どこまでが自分のものなのか。カニエ作品がいろんな写真作品とかを先行テクストとしてその上に成り立っているように、作品は大体そういうものなので、どこまでが自分の所有物なのかはちょっと不分明ではないでしょうか。

カニエ　やはりでも自分の書いたものはとりあえず自分の所有物みたいに思ってしまう。軽やかに野村さんは手放されるなという印象があります。これはまだ批評が追いつき切れていない。

野村　中身はともかく書物形体として記念碑的なので、これは後世に遺すに値するのではないかと思いました。

カニエ　時が経てば経つほどこれはなんだったんだというのがいろいろと出てきて、長く語られることになるのではないでしょうか。萩原恭次郎の『死刑宣告』とかと並んでエポックメーキングな、ラディカルな詩集のあり方として百年後、二百年後語り継がれるのではないか。古書でウン十万円にもなりそうな予感がします。でも野村さんの詩集が本屋さんにあるといいですね。詩集を売っている本屋だという気がします。

野村　これから書物はどうなるでしょう。昔はいずれ電子書籍に席巻されるであろうと言われていましたが。

カニエ　野村さんの詩集のようなものがある限りはなくならないですよ。なくなると言われて十数年経って、本の良さをあらためてみんな考えて、こういった良い本があるので、なくなるという気配は全然ないです。なくなる気配がなくなった。書店も大手がつぶれる一方で個人経営の小さな、インデペンデントな本屋さんも結構ふえてきて、詩集専門店もいくつかいいのがありますよね。

初出情報

（ダウラギリ・サーキット・トレッキングのように……）……「みらいらん」二〇二一年夏号
閾を超えていく彷徨……「現代詩手帖」二〇一七年四月号
言の葉のそよぎの生起する場所へ……「現代詩手帖」二〇一二年八月号
共有する記憶の原郷に響かせる……「現代詩手帖」二〇一三年八月号
〈詩と音楽のあいだ〉をめぐって……「みらいらん」二〇一八年冬号
書くこと、描くこと、映すこと……「みらいらん」二〇一八年夏号

現代フランス詩の地図を求めて……「みらいらん」二〇一九年冬号

『安藤元雄詩集集成』をめぐって……「みらいらん」二〇一九年夏号

未知への痕跡……「みらいらん」二〇二〇年冬号

危機と再生……「みらいらん」二〇二〇年夏号

恐怖と愉楽の回転扉……「みらいらん」二〇二二年冬号

西脇順三郎をめぐる往復書簡……「みらいらん」二〇二二年夏号

二十一世紀日本語詩の可能性……「みらいらん」二〇二三年冬号

対談者プロフィール

小林康夫（こばやし・やすお）
一九五〇年、東京生まれ。表象文化論、現代哲学が専門。東京大学名誉教授。編著に『知の技法』、『知のモラル』など。著書に『君自身の哲学へ』、『起源と根源』、『表象の光学』、『歴史のディコンストラクション』、『存在のカタストロフィー』、『《人間》への過激な問いかけ』、『死の秘密、《希望》の火』、『クリスチャンにささやく』などがある。

杉本　徹（すぎもと・とおる）
一九六二年、名古屋市生まれ。詩集に、『十字公園』（ふらんす堂）、『ステーション・エデン』（歴程新鋭賞・思潮社）、『ルウ、ルウ』（思潮社）、『天体あるいは鐘坂』（思潮社）。

北川健次（きたがわ・けんじ）
一九五二年、福井県生まれ。多摩美術大学大学院美術研究科修了。駒井哲郎に銅版画を学ぶ。七五年、現代日本美術展ブリヂストン美術館賞受賞。七六年、東京国際版画ビエンナーレ展招待出品。八一年、リュブリアナ国際版画ビエンナーレ展招待出品。オブジェ、油彩画、コラージュ、写真、詩、評論も手がける。

篠田昌伸（しのだ・まさのぶ）
一九七六年生まれ。二〇〇一年東京藝術大学院修士課程修了。これまでに作曲を尾高惇忠、土田英介、ピアノを播本枝未子、大畠ひとみの各氏に師事。第74回日本音楽コンクール作曲部門第1位。第9回佐治敬三賞受賞。東京音楽大学、国立音楽大学、尚美ミュージックカレッジ、日本大学藝術学部非常勤講師。

石田尚志（いしだ・たかし）
一九七二年東京生まれ。画家・映像作家。近年の主な発表に、「弧上の光」国際芸術センター青森（19年）、「あいちトリエンナーレ２０１６」、「石田尚志 渦まく光 Billowing Light: ISHIDA Takashi」横浜美術館／沖縄県立博物館・美術館（15年）など。「第18回 五島記念文化賞」美術部門受賞。多摩美術大学教授。

有働　薫（うどう・かおる）
一九三九年東京都生まれ。詩集に『冬の集積』（87年、詩学社）、『雪柳さん』（00年、ふらんす堂）、『幻影の足』（10年、思潮社、現代詩花椿賞受賞）。『モーツァルトになっちゃった』（14年、思潮社）などがある。Ｊ＝Ｍ・

モルポワ、M・コベールらフランス同時代詩人の翻訳に従事している。

福田拓也（ふくだ・たくや）

一九六三年東京生まれ。第32回現代詩手帖賞受賞。東洋大学法学部教授。詩集に、『砂の歌』（05年）、『まだ言葉のない朝』（14年）、『倭人伝断片』（17年）、『惑星のハウスダスト』（18年）（以上二冊で歴程賞受賞）、『DEATHか裸』（22年）、評論に『エリュアールの自動記述』（18年）などがある。詩誌「歴程」に所属。

阿部日奈子（あべ・ひなこ）

一九五三年東京生まれ。詩集に『植民市の地形』（89年、七月堂、第1回歴程新鋭賞）、『典雅ないきどおり』（94年、書肆山田）、『海曜日の女たち』（01年、書肆山田、第32回高見順賞）、『キンディッシュ』（12年、書肆山田）、『素晴らしい低空飛行』（19年、書肆山田）、書評集に『野の書物』（22年、インスクリプト）。

江田浩司（えだ・こうじ）

一九五九年岡山生まれ。「未来」編集委員。芭蕉会議世話人。歌集『メランコリック・エンブリオ　憂鬱なる胎児』（96年、北冬舎）、評論集『緑の闇に拓く言葉《パロール》』（13年、万来舎）、『岡井隆考』（17年、北冬舎）、詩歌集『律《りつ》――その径《みち》に』（21年、思潮社）、評論集『前衛短歌論新攷　言葉のリアリティーを求めて』（22年、現代短歌社）他。

広瀬大志（ひろせ・たいし）

一九六〇年三月熊本市生まれ。詩誌「洗濯船」に参加。詩集に『浄夜』『喉笛城』『ミステリーズ』『髑髏譜』『ハード・ポップス』『約束の場所』『草虫観』『ぬきてらしる』『激しい黒』『魔笛』『ライフ・ダガス伝道』などがある。近刊予定詩集『毒猫』『白い兆し』。

カニエ・ナハ（かにえ・なは）

詩人。二〇一〇年「ユリイカの新人」としてデビュー。二〇一五年、第4回エルスール財団新人賞〈現代詩部門〉。二〇一六年、詩集『用意された食卓』で第21回中原中也賞。装丁や、アーティスト・ダンサー等との協働も多数。

野村喜和夫（のむら・きわお）

一九五一年埼玉県生まれ。詩集に『川萎え』『反復彷徨』『特性のない陽のもとに』（歴程新鋭賞）『風の配分』（高見順賞）『ニューインスピレーション』（現代詩花椿賞）『街の衣のいちまい下の虹は蛇だ』『ヌードな一日』（藤村記念歴程賞）『デジャヴュ街道』『薄明のサウダージ』（現代詩人賞）『妖精DIZZY』『美しい人生』（大岡信賞）など。

あとがき

本書は、この10年ぐらいの間に私が行なった対談を集めたものである。私はかつて、「詩的接合のポリティクス」という詩論を書いたことがある。詩は、詩人は、ひとつの線にほかならない、他との接合を夢見ながら、きらめくか細い線となって表象の地勢の上を浮遊している、むき出しで純粋な欲望の線……

本書もその欲望の線の一環ということになろうか。全体は三部に分かれる。第一部には、私自身の詩と詩論をめぐっての対談を収めた。いずれも「現代詩手帖」に初出で（２０１７年４月号の特集「野村喜和夫と現在」および２０１２年８月号の鮎川信夫賞受賞記念対談）、快く対談を引き受け、拙作と向き合ってくださった小林康夫さんと杉本徹さんに深謝したい。

第二部と第三部には、雑誌「みらいらん」に連載された対談シリーズを収めた（北川健次さんとの対談のみ「現代詩手帖」に初出）。洪水企画の池田康さんから、「みらいらん」創刊に伴う連続対談の企画を持ちかけられたとき、「せっかくですから、私とコラボした異分野アーティストを迎えましょう」と提案した記憶がある。詩人同士で詩の現在を時評的に語り合うというのは、もうさんざんやってきたことでもあるし、避けたいと思ったのである。こうして、美術家の北川健次さんと石田尚志さん、そして作曲家の篠田昌伸さんと、コラボのあとの夢のような「アフタートーク」の場を設けることができた。第二部に収めたのはその三本である。

第三部は「詩歌道行」と題されている。ここでも他との接合を夢見つつ、同時代を生きる詩人や歌人を招いて、さまざまな詩の内や外のことを彼らと語り合った。フランスの詩やその翻訳について、先達の詩人の仕事について、詩作のバックグラウンドについて、短歌と現代詩の交錯・交流について、恐怖という今日的なテーマについて、散歩のコスモロジーについて、書物の形態をも含めた詩の生き延びの道について。

前後するが、巻頭には詩篇「(ダウラギリ・サーキット・トレッキングのように……)」を掲げた。「みらいらん」連載の対談シリーズの中休みに、「野村喜和夫詩歌道行・番外詩篇」として発表されたからであるが、思えばこのシリーズを通して、私は同行の仲間たちと、あたかも詩の高所をめぐる想像力のトレッキングを敢行したのであろう。

「みらいらん」連載の対談は、東京世田谷のわがカフェ「エル・スール」で行われた。コロナ以前には公開形式であったと記憶する。カフェにはアンティークな趣の長楕円形のテーブルがあり、私たちはそのテーブルを囲んで語り合ったが、考えてみれば、二つの中心をもつ楕円は、まさにディアロゴス(対話)のあり方を図形的に象徴するようなところがあろう。タイトルに楕円という語を入れたゆえんである。

12人の対談者(杉本徹さんには二度登場していただいているので、正確には11人)にはあらためて感謝申し上げたい。そして、「みらいらん」連載時からこの対談集の実現に向けて尽力された洪水企画の池田さんには、お礼の言葉もない。そもそも、池田さんとこのように深く仕事の関わりを持つようになったのは、いつだったか、「洪水」(「みらいらん」の前身)の企画で、安藤元雄さんにインタビューしたのがきっかけではなかったか。大先達の安藤さんにも感謝の念をお伝えしておきたい。

2022年極月
カフェ「エル・スール」にて
野村喜和夫

詩人の遠征
extra trek 01

野村喜和夫対談集
ディアロゴスの 12 の楕円

著者代表………野村喜和夫

発行日……2023 年 4 月 15 日
発行者……池田康
発行………洪水企画
〒 254-0914 神奈川県平塚市高村 203-12-402
TEL&FAX 0463-79-8158
http://www.kozui.net/
印刷………モリモト印刷株式会社
ISBN978-4-909385-41-3